COLLECTION **PAIX**

DIRIGÉE PAR SERGE MONGEAU

LE QUÉBEC
MILITAIRE

Données de catalogage avant publication (Canada)
Bélanger, Yves, 1952-
Québec militaire

(Collection Paix)
ISBN 2-89037-492-0

1. Armes et munitions -- Québec (Province).
2. Complexes militaro-industriels -- Québec (Province).
3. Canada -- Défense nationale -- Aspect économique.
4. Contrats de la défense -- Québec (Province).
I. Fournier, Pierre, 1947- . II. Titre.
III. Collection.

HD9743.C23Q8 1989 338.4'73558'09714 C89-096471-8

Dépôt légal:
4e trimestre 1989
Bibliothèque nationale du Québec
Bibliothèque nationale du Canada
ISBN: 2-89037-492-0

LE QUÉBEC MILITAIRE

LES DESSOUS
DE L'INDUSTRIE
MILITAIRE
QUÉBÉCOISE

YVES BÉLANGER - PIERRE FOURNIER

PROFESSEURS
DÉPARTEMENT DE SCIENCE POLITIQUE
UNIVERSITÉ DU QUÉBEC À MONTRÉAL

ET CODIRECTEURS
GROUPE DE RECHERCHE SUR
L'INDUSTRIE MILITAIRE ET
LA RECONVERSION

ÉDITIONS QUÉBEC/AMÉRIQUE

425, rue Saint-Jean-Baptiste, Montréal, Québec H2Y 2Z7 (514) 393-1450

Des mêmes auteurs

L'administration publique québécoise: évolutions sectorielles 1960-1985, Québec, Presses de l'Université du Québec, 1989 (Yves Bélanger et Laurent Lepage);

L'ère des libéraux, le pouvoir fédéral de 1963 à 1984, Québec, Presses de l'Université du Québec, 1988 (Yves Bélanger et Dorval Brunel);

L'entreprise québécoise: développement historique et dynamique contemporaine, Montréal, Hurtubise-HMH, 1987 (Yves Bélanger et Pierre Fournier);

Capitalisme et politique au Québec, Montréal, Éditions Albert Saint-Martin, 1981 (Pierre Fournier);

Le capitalisme au Québec, Montréal, Éditions Albert Saint-Martin, 1978 (Pierre Fournier);

Le patronat québécois au pouvoir, Montréal, HMH, 1978 (Pierre Fournier).

REMERCIEMENTS

Les recherches sur lesquelles est basé ce livre ont été menées entre 1986 et 1989. Plusieurs organismes, y compris l'Institut canadien pour la paix et la sécurité internationales, le Fonds pour la formation de chercheurs et l'aide à la recherche (FCAR), le Conseil de recherches en sciences humaines du Canada (CRSHC), le Programme d'aide financière aux chercheurs-es et aux créateurs (PAFACC) de l'UQAM et la Fédération de la métallurgie de la CSN, ont apporté une aide financière qui a contribué à sa réalisation.

Nous tenons à remercier les membres du Comité reconversion industrielle de la Confédération des syndicats nationaux (CSN), formé sous l'égide de la Fédération de la métallurgie, et le Comité paix du Conseil du travail de Montréal (CCTM) affilié à la Fédération des travailleurs du Québec (FTQ). Plusieurs membres de la CSN nous ont fourni un appui précieux. Parmi ceux-ci, il faut souligner le soutien exceptionnel de Marc Laviolette, président du Comité reconversion, celui de Roger Deslauriers, responsable du dossier Paix et celui de Céline Lamontagne, vice-présidente. Plusieurs autres personnes, qui pour des raisons évidentes devront conserver l'anonymat, ont également contribué à cette recherche. Enfin, nous remercions les membres de l'équipe de recherche, notamment Mohammed Bernoussi, Anne Francis, Gilles Lebel, France Maltais, Abdelkerim Ousman, Lyne Pepall, Daniel Shapiro et Jon Waterhouse pour leur engagement et leur dynamisme.

TABLE DES MATIÈRES

INTRODUCTION

L'implication sans cesse grandissante du Québec et de l'ensemble du Canada dans la production de matériel militaire constitue un phénomène méconnu, qui a été largement sous-estimé par la plupart des observateurs. Même si l'économie militaire canadienne ne se situe pas au même niveau que celle des grandes puissances, elle progresse à un rythme accéléré, surtout depuis 1980, grâce à des augmentations importantes dans les budgets de défense canadien et américain. En effet, la valeur de la production militaire canadienne est passée de 1 milliard de dollars en 1980 à environ 8 milliards en 1988. Au début des années 80, le gouvernement canadien a amorcé une vaste opération de renouvellement de ses équipements militaires qui a donné lieu à l'attribution de nombreux contrats, suscitant la convoitise de plusieurs entreprises nationales et étrangères. Cette militarisation est survenue dans un contexte économique difficile, et un grand nombre de firmes, souvent à l'instigation et avec l'appui du gouvernement canadien, ont cru trouver dans le marché militaire une bouée de sauvetage et une alternative au resserrement des marchés civils.

Au Québec, on constate, depuis quelques années, qu'un nombre important d'entreprises prennent le "virage militaire" et se laissent séduire par les perspectives du marché de la défense. Des conglomérats comme Bombardier et SNC se sont diversifiés en direction de la production militaire, en espérant y trouver une source de stabilité financière. Par ailleurs, plusieurs contrats, notamment les F-18 et les frégates, ont donné lieu à une mobilisation des milieux d'affaires destinée à assurer au Québec une part accrue de la manne militaire. Des nouveaux centres de production à vocation strictement militaire, tels Paramax et Oerlikon, ont été implantés sur le territoire et sont rapidement devenus des symboles de modernité industrielle et technologique. Le gouvernement du Québec, quant à lui, semble avoir identifié le secteur de la défense comme un créneau susceptible d'enrayer le déclin de l'industrie manufacturière québécoise et de consolider les assises industrielles provinciales. Il espère aussi que les contrats militaires rempliront dans certains secteurs névralgiques une fonction de soutien au développement et à l'innovation.

La stratégie du Québec de se lancer à l'assaut de contrats de défense nous semble dangereuse. Comme nous le verrons, tant la conjoncture nationale qu'internationale laissent présager un déclin des budgets militaires. En plus, l'industrie militaire est instable, génère peu d'emplois en comparaison avec d'autres secteurs, crée des déséquilibres régionaux, produit peu de retombées technologiques dans le secteur civil, et demeure fortement dépendante des décisions américaines. Une politique économique, industrielle ou technologique basée sur le développement de l'industrie militaire apparaît donc être un choix risqué.

Même si la production militaire au Québec est plus importante qu'on ne le croit généralement, la province ne reçoit pas sa "juste part" de contrats du ministère de la Défense. A ce niveau, le fédéralisme n'est donc pas rentable pour le Québec. Une réaffectation d'une partie des ressources consacrées à la défense, dans la mesure où elle refléterait plus fidèlement le poids démographique des différentes régions du Canada, aurait donc un impact économique d'autant plus bénéfique pour le secteur civil au Québec.

Examinons maintenant brièvement les différentes étapes que nous suivrons dans la présentation de cette étude.

Le chapitre premier analyse la conjoncture internationale et la politique de défense canadienne. Ces deux éléments sont essentiels parce qu'ils déterminent dans une large mesure l'évolution du marché pour les entreprises militaires. Notre objectif est de démontrer que le livre blanc de la défense déposé en 1987 est "dépassé". On peut, en effet, anticiper une baisse importante des commandes militaires dans les prochaines années, non seulement parce que la conjoncture internationale évolue rapidement vers des réductions et un meilleur contrôle des armements, mais aussi parce que les coupures dans le budget de la défense annoncées en avril 1989 laissent présager un resserrement du marché interne canadien. Nous émettrons également certaines réserves à l'égard de la politique d'approvisionnement canadienne qui cherche en même temps à faciliter la création de complexes militaires locaux et à intégrer la production militaire canadienne dans le contexte nord-américain. Finalement, il nous apparaît de plus en plus évident, dans la perspective du libre-échange, que le Canada va chercher à utiliser sa politique d'approvisionnement en matériel militaire comme fer de lance pour développer ses stratégies industrielles dans les secteurs concernés par la production militaire.

Le chapitre 2 examine l'impact des dépenses militaires canadiennes et présente de façon détaillée les principaux éléments du complexe militaro-industriel canadien. Nous analyserons en particulier la structure sectorielle et régionale des producteurs d'armes au Canada.

Le chapitre 3 brosse un tableau d'ensemble de la fabrication militaire québécoise. On y constate que le complexe militaro-industriel de la province est partagé en trois groupes: les maîtres d'œuvre, les fabricants de sous-systèmes et les sous-traitants. Tant au niveau canadien que québécois, nous chercherons à faire ressortir l'importance des politiques de l'Etat dans le développement de la production militaire, ainsi que les problèmes inhérents à cette production, notamment la dépendance face aux Etats-Unis, l'instabilité de la demande nationale et les perspectives limitées offertes par le marché mondial. Nous soulignerons également la faible contribution de l'industrie militaire au développement régional et à la recherche et au développement.

Dans les cinq chapitres suivants, soit les chapitres 4 à 8, nous procéderons à l'étude des cinq secteurs industriels les plus importants au niveau de la production militaire: l'aérospatiale, la construction navale, les munitions, l'électronique et le matériel de transport roulant. L'approche sectorielle permettra non seulement d'approfondir notre compréhension du marché militaire, mais aussi d'évaluer les rapports qui existent entre la production civile et la production militaire. Elle se justifie aussi par la grande hétérogénéité de la production militaire et aide à mieux saisir la place et les impacts de ce marché ainsi que les alternatives à une telle production. Nous verrons, par exemple, que certains secteurs sont entièrement à la remorque de la structure de production américaine, notamment l'aérospatiale et l'électronique, tandis que d'autres, comme la construction navale et les munitions, fonctionnent à l'intérieur d'une dynamique beaucoup plus nationale.

Finalement, le chapitre 9 fait le point sur les principales stratégies et options disponibles en vue de contester le niveau des dépenses militaires: la remise en question de la part du budget national allouée à la défense, la création de zones libres d'armes nucléaires (ZLAN) et la reconversion des entreprises d'armement.

Avant d'aller plus loin, il est nécessaire d'apporter quelques précisions d'ordre méthodologique. Au départ, nous avons pu compter sur une banque de données contenant les contrats militaires obtenus par les entreprises canadiennes préparée par le groupe Plougshares. Suite à une compilation complexe et de longue haleine, cette équipe de chercheurs a regroupé une série d'informations publiques sur les contrats de défense publiées en parties détachées par le gouvernement canadien par l'entremise du ministère des

Approvisionnements et Services Canada et des comptes publics. Le travail de Plougshares a ainsi permis de rassembler des données complètes sur 67 % des contrats de défense attribués entre 1980 et 1985 au Canada. Selon les secteurs, cette proportion varie entre 37 % et 96 %. Non seulement l'écart est-il considérable, mais le caractère agrégé des données de la banque rendait périlleuse toute tentative d'en faire une utilisation trop spécifique. Or, notre groupe de recherche désirait concentrer son analyse sur le Québec en s'appuyant sur des études de cas.

Dans le but de nous donner un instrument de travail plus fonctionnel, nous nous sommes consacrés pendant une période de seize mois à une révision des données pour le Québec. Ce travail a été réalisé grâce à l'ajout d'autres informations compilées par des observateurs québécois, par des entrevues, et par une revue de presse rétrospective. A l'aide de cet outil, un premier déblayage de l'industrie a été réalisé et nous a permis de constater la forte concentration des retombées dans un nombre restreint de secteurs et un territoire géographique également délimité.

Une fois l'étape préliminaire franchie, nous avons fait le choix de concentrer notre effort de recherche sur les cinq secteurs les plus dépendants de la production militaire. A partir de la liste des entreprises dont nous disposions, nous avons repéré les principaux centres de production et amorcé un travail d'enquête qui nous a amené à prendre contact avec une vingtaine d'entreprises stratégiques et à éplucher de façon systématique les documents recueillis auprès de ces entreprises. Une nouvelle période de dix-huit mois a été consacrée à ce travail et a débouché sur la rédaction de cinq études sectorielles dont la synthèse est reproduite dans les chapitres 4 à 8.

Sans être exhaustives, les données obtenues permettent donc de brosser un tableau fidèle de la réalité industrielle militaire québécoise. Ne comptabilisant pas la "partie cachée" de la fabrication et du commerce des armes, le Canada n'étant en cette matière pas plus transparent que la plupart des autres Etats, les données présentées doivent être considérées comme des indicateurs du seuil minimal de la production québécoise. Elles auront permis de lever le voile, pour la première fois, sur la contribution du Québec à la fabrication d'armes.

CHAPITRE PREMIER
LA CONJONCTURE INTERNATIONALE ET LA POLITIQUE DE DÉFENSE CANADIENNE

Depuis quelques années, le Canada a choisi de donner à son économie et à sa politique de défense une orientation nettement plus militariste. Cette tendance, qui s'inspire largement du réarmement sans précédent des États-Unis décrété par le Président Reagan, a été confirmée par la publication en 1987 d'un livre blanc sur la politique de défense au Canada. Pourtant, au niveau international, les progrès réalisés sur la voie du contrôle des armements permettent pour la première fois depuis plusieurs années d'entrevoir l'avenir avec optimisme. Même si le budget fédéral de 1989 a coupé dans certains projets du ministère de la Défense, le Canada donne encore l'impression de ramer à contre-courant en prônant des politiques mieux adaptées à la guerre froide qu'à la détente.

LA COURSE AUX ARMEMENTS: DES REMISES EN QUESTION FONDAMENTALES

La signature, en décembre 1987, d'un Accord de démantèlement des missiles intermédiaires entre les États-Unis et l'URSS représente un moment historique. L'entente prévoit la destruction de 2 611 missiles et interdit de posséder des engins capables d'atteindre des cibles situées entre 500 et 5 500 km de distance. Il existe également des propositions sérieuses visant à réduire de moitié les stocks de missiles stratégiques. Quant aux armes nucléaires tactiques à courte portée, les négociations sont plus difficiles, en bonne partie parce que l'Organisation du traité de l'Atlantique nord (OTAN) considère qu'elles constituent une police d'assurance contre la supériorité du Pacte de Varsovie en hommes et en tanks.

La décision du Président Gorbatchev de réduire unilatéralement les forces conventionnelles de l'URSS en Europe et en Mongolie pourrait permettre de nouveaux progrès. Cette initiative, qui implique le retrait de 500 000 hommes, 10 000 chars, 800 avions de combat et 8 500 systèmes d'artillerie, ouvre également la porte à d'importantes réductions bilatérales d'hommes et de matériel militaire conventionnel sur le théâtre européen. L'URSS a fait des propositions dans ce sens en mars 1989. Une telle perspective était jugée impensable il y a à peine quelques années. On a donc acquis la conviction qu'il est possible de maintenir un pouvoir de dissuasion suffisant et d'empêcher une attaque nucléaire américaine avec un moins grand nombre d'armes stratégiques.

Pour la première fois depuis fort longtemps, les Américains font de la surenchère face aux propositions soviétiques. Le président Bush a notamment déposé une proposition dont l'objet est de réduire les troupes et les équipements en Europe à un niveau sans précédent depuis la Deuxième Guerre mondiale. Il est difficile, au moment où ces lignes sont écrites de prévoir l'avenir, mais il faut reconnaître que la conjoncture actuelle est nettement plus favorable que celle qui prévalait il y a à peine quelques années. À court terme, il est évident que les superpuissances n'ont pas remis en cause l'équilibre de la terreur. Les traités n'empêchent pas les deux pays de moderniser et de rendre encore plus dévastatrices les forces nucléaires qui leur restent. Il serait utopique et naïf de croire qu'on évolue vers un monde sans armes nucléaires. Néanmoins, l'URSS et les États-Unis semblent avoir renoncé à l'obtention d'un avantage décisif sur le plan nucléaire basé sur une percée technologique majeure ou encore sur le déploiement d'un nombre d'armes sans cesse grandissant. L'évolution de la conjoncture permet de prévoir que les deux superpuissances se contenteront d'un arsenal éventuellement plus réduit et plus stable.

Parallèlement aux progrès enregistrés sur le contrôle des armes, on aura également été témoin, pendant l'année 1988, d'une très nette tendance à l'apaisement des conflits régionaux, notamment le retrait des Soviétiques de l'Afghanistan, la fin du conflit entre l'Iran et l'Iraq, l'accord sur l'Angola et la Namibie, les tractations entre Managua et la Contra et le retrait accéléré des Vietnamiens du Cambodge et du Laos.

Comment peut-on expliquer ce renversement de situation? On peut présumer que l'opposition morale à la guerre et à la violence, ainsi que la conviction de plus en plus profonde qu'un conflit nucléaire ne peut être "gagné" dans la mesure où personne n'y survivrait, auront fini par ébranler la plupart des chefs d'État. Ultimement, c'est sans doute le caractère urgent des nouveaux défis de cette fin de XXe siècle, et notamment la détérioration générale de l'économie et de l'environnement mondiaux, qui aura forcé la main aux dirigeants politiques. La destruction de la couche d'ozone, les pluies acides et la pollution en général, de même que la pauvreté et les inégalités à l'échelle planétaire, mettent en danger la sécurité des nations tout autant qu'un cataclysme nucléaire. La prolifération des armes, même si elle contribue à l'équilibre de la balance commerciale des pays producteurs, aggrave les déséquilibres économiques et sert à entretenir et prolonger des conflits régionaux qui menacent la sécurité du monde entier[1].

Les grandes puissances se sont donc rendu compte avec beaucoup de retard que le pouvoir et la sécurité reposaient de moins en moins sur la puissance militaire. En effet, le nerf de la guerre est devenu l'argent et la puissance économique, et les capacités financières des États ont atteint leurs limites. Comme le souligne Claude Julien:

> Dans ce monde où tout change à vive allure, il y fallut en réalité un lent, très lent cheminement, jalonné de déconvenues (au Vietnam, en Afghanistan) pour finalement faire buter sur des limitations budgétaires d'infinies rêveries idéologiques[2].

Plusieurs prédisent le déclin et la chute des empires soviétiques et américains sous le poids de leurs dépenses militaires. Dans *The Rise and Fall of the Great Empires*, un livre qui a fait sensation aux États-Unis, Paul Kennedy retrace à travers 450 ans d'histoire l'effondrement des principaux empires[3]. Il attribue ce déclin à une trop grande "extension" militaire et fait valoir que les coûts de l'expansionnisme militaire finissent toujours par dépasser les bénéfices qu'on peut en tirer. Il n'hésite pas à lier les difficultés économiques des États-Unis et de l'URSS à la course aux armements.

L'URSS, dont les problèmes économiques sont sans doute plus profonds, et qui risque de devenir un véritable pays sous-développé, a pris conscience avant les États-Unis de la nécessité et de l'urgence d'opérer un transfert des ressources à la fois budgétaires, technologiques et humaines vers l'économie civile. En effet, la survie même du régime soviétique est menacée si des améliorations substantielles ne sont pas apportées au niveau et à la qualité de vie des citoyens. D'importants investissements seront nécessaires,

---

1. Claude Julien, «La Paix des grands, l'espoir des pauvres», *Le Monde diplomatique*, février 1989, p. 12.
2. *Ibid.*, p. 7.
3. Paul Kennedy, *The Rise and Fall of the Great Powers*, New York, Little Brown Inc., 1987.

notamment dans les biens de consommation, dans le secteur agricole et dans la protection de l'environnement.

Aux États-Unis, il devient de plus en plus évident que la reprise économique amorcée pendant les années Reagan a été largement artificielle, dans la mesure où elle est basée sur une escalade spectaculaire des dépenses militaires et des déficits budgétaires alarmants. En quelques années, les États-Unis sont passés du rôle de principal prêteur à celui de principal emprunteur sur les marchés financiers internationaux. Malgré la reprise, le déclin de la position économique relative des États-Unis par rapport à la plupart des autres pays industrialisés se poursuit. L'écart des revenus entre les riches et les pauvres est le plus élevé des pays industrialisés, et la chute des salaires réels continue. L'apparition d'un nombre de plus en plus important de "working poors", c'est-à-dire des travailleurs dont le niveau de salaire ne leur permet pas d'échapper à la pauvreté, ajoutée à la détérioration de la situation des chômeurs et des assistés sociaux, menace de provoquer dans les années à venir une polarisation sociale sans précédent.

L'opposition aux dépenses militaires se fait de plus en plus vive. Elles sont de plus en plus tenues responsables des principaux problèmes qui assaillent la société américaine: la détérioration de l'environnement, la pauvreté, la réduction des programmes sociaux, les injustices sociales, l'effondrement des infrastructures des villes, les faiblesses du système d'éducation, etc. Décrivant l'escalade des dépenses militaires (une augmentation de plus de 30 % entre 1981 et 1986) et le déclin de l'économie américaine, un éditorialiste du *New York Times* affirmait en octobre 1988 que le président Reagan avait construit une "forteresse sur le sable"[4]. Il prétendait de plus que l'incohérence et le gaspillage liés aux programmes de défense avaient érodé le consensus national au sujet des dépenses militaires.

Dans un article publié en juin 1988, Henry Kissinger et Cyrus Vance, deux anciens secrétaires d'État qu'on peut qualifier de "militaristes", constatent l'"indéniable déclin de la primauté économique américaine" et concluent:

> Nous n'avons plus les moyens financiers d'agir par nous-mêmes sur la scène internationale comme nous le faisions dans l'immédiate après-guerre... Nous devons remettre en ordre notre économie... Au total, nous sommes arrivés à la conclusion

4. "The Military Consensus Undone", *New York Times*, Editorial, 23 octobre 1988.

qu'il existe maintenant une occasion d'aboutir à une amélioration significative des relations américano-soviétiques[5].

Cette vision plus optimiste des relations internationales fait son chemin aux États-Unis. *Foreign Affairs*, une revue influente de l'establishment américain, dénonce "l'incroyable gaspillage" du réarmement du président Reagan et maintient que la politique soviétique "offre une chance de maintenir l'équilibre militaire à un moindre coût". Il conseille également de "ne plus accorder aux engagements budgétaires pour la défense une priorité absolue sur l'équilibre fiscal"[6]. L'ancien président Jimmy Carter croit lui aussi que les développements récents en URSS rendent possible des coupures radicales dans le budget de la défense américaine[7].

Malgré la forte influence du complexe militaro-industriel, les États-Unis ont répondu aux initiatives de paix soviétiques. Un ralentissement du rythme de croissance des dépenses militaires pour les prochaines années est donc probable. Des coupures de 300 milliards de dollars dans les budgets militaires de 1989-1994 ont été effectuées. Ces restrictions touchent notamment le projet de guerre des étoiles (dont la faisabilité est de plus en plus mise en doute), la modernisation des systèmes d'armes existants, et la construction d'avions et de porte-avions à propulsion nucléaire. Si on considère que le projet de bouclier spatial (IDS) était perçu jusqu'à récemment comme une "vache sacrée", ces développements sont significatifs.

En même temps, le leadership américain est de plus en plus contesté en Europe et au Japon, où on attend des gestes plus concrets et plus décisifs dans la direction du contrôle des armements. Des pays comme la Belgique, le Danemark, la Grèce et l'Allemagne de l'Ouest opposent une forte résistance à l'intention manifestée par les États-Unis et la Grande-Bretagne de moderniser leurs armements. Certains pays ont d'ailleurs déjà emboîté le pas au mouvement qui se dessine actuellement et planifient à leur tour des diminutions de leur budget de défense.

LE MARCHÉ MILITAIRE: DÉCLIN ET SURPRODUCTION

La détérioration de la situation économique dans la plupart des pays, la réduction du nombre de conflits régionaux, la détente Est-Ouest, ainsi que

---

5. Henry Kissinger and Cyrus Vance, *Newsweek*, 6 juin 1988.
6. *Foreign Affairs*, cité dans Claude Julien, *ibid.*, p. 41.
7. *Globe and Mail*, 13 avril 1989.

l'augmentation de la concurrence expliquent donc la contraction du marché militaire mondial[8]. Avec une dette combinée de plus de 1 000 milliards de dollars, les pays du tiers-monde, qui dépensent environ 50 milliards de dollars par année pour acheter des armes, se butent aux compressions imposées par le système financier international. Selon les évaluations, le marché mondial de l'armement a été réduit de moitié par rapport aux années 1970[9].

Si la demande plafonne, on assiste néanmoins à la multiplication de l'offre et à des crises de surproduction. Depuis 20 ans, une douzaine de pays du tiers monde se sont dotés d'une capacité de production importante. C'est le cas notamment de l'Inde, de la Chine, du Brésil, d'Israël, de l'Afrique du Sud, de Taïwan, des deux Corées, de l'Argentine et de l'Égypte. À long terme, il est à prévoir que tous les pays en voie de développement voudront, dans la mesure du possible, fabriquer leurs armes eux-mêmes. Parmi les pays industrialisés, la Grande-Bretagne et l'Allemagne de l'Ouest se sont relancés avec vigueur sur le marché militaire, depuis quelques années. En même temps, affectés par la baisse de leur marché intérieur, des pays comme la Suède, la Grèce, la Suisse, l'Autriche, la Belgique et l'Espagne ne voient de salut qu'à l'exportation pour amortir leurs coûts de recherche-développement et de production.

La France constitue un parfait exemple des effets pervers d'une trop forte dépendance envers l'industrie militaire[10]. Entre les années 1950 et 1960, sous l'impulsion du président De Gaulle, elle a décidé de développer son propre arsenal conventionnel et nucléaire, dans le but de préserver sa souveraineté et de ne pas devenir trop dépendante des États-Unis. Parce que le développement et la production d'armes sophistiquées sont des opérations coûteuses, et parce que le budget militaire de la France, même s'il est plus élevé que celui des autres pays européens, ne peut générer des niveaux de production rentables, on a dû procéder à des ventes massives d'armes à l'étranger, surtout au tiers monde. En 1985 par exemple, sur une production évaluée à 104,4 milliards de francs, les exportations atteignaient 43,9 milliards. Le pays est maintenant le troisième plus important exportateur d'armes au monde avec environ 11 % du marché. Au niveau interne, la production militaire, qui s'appuie sur d'énormes investissements de l'État, est

8. Agence France Presse, "Concurrence accrue sur le marché mondial des armes", *La Presse*, 11 mars 1989.

9. *Ibid.*

10. Voir Edward Kolodziej, *Making and Marketing Arms: the French Experience and its Implications for the International System*, Princeton, University Press, 1988.

devenue la pierre d'assise de la structure industrielle. La fabrication d'armes, qui répondait d'abord à des objectifs stratégiques, est maintenant une nécessité économique, essentielle au maintien du niveau de vie de la population. Quant à la politique extérieure, l'importance de l'industrie militaire et du complexe militaro-industriel constitue dorénavant une sévère entrave à la conduite d'une politique basée sur les impératifs politiques et moraux traditionnellement défendus par la France.

Ce n'est sûrement pas un hasard si le pays le plus militarisé d'Europe est aussi le plus hésitant et le plus critique à l'égard du contrôle des armements. Jean-Marie Benoist, par exemple, président du Centre européen de relations internationales, a dénoncé l'accord sur les euromissiles comme un "marché de dupes... qui pèsera lourd sur le destin de la paix et de la liberté en Europe et dans le reste du monde"[11]. De même, la France a décidé au début de 1989 de moderniser ses missiles nucléaires à courte portée, dans une conjoncture où plusieurs pays de l'OTAN tentaient de convaincre les États-Unis de reporter une décision qui risquait de compromettre les efforts pour le contrôle des armements. L'"affaire Luchaire" a également mis en évidence toute la fragilité d'une base industrielle trop dépendante du secteur militaire. En effet, des firmes françaises ont vendu illégalement des armes à l'Iran en 1986 et 1987, avec la complicité des gouvernements en place. Pourquoi? Essentiellement, comme le souligne un industriel de l'armement, parce que "s'il n'y avait pas eu la guerre Iran-Irak, Luchaire et la Société nationale des poudres et explosifs auraient dû déposer leur bilan"[12].

Les complexes militaro-industriels à travers le monde sont d'ailleurs un des principaux obstacles à la réduction des armements. Les industriels qui profitent de la course aux armements, notamment dans l'aéronautique, l'électronique, l'informatique, la chimie et le nucléaire, ainsi que les militaires et les technocrates de la défense ne laisseront pas facilement le monde glisser vers la détente. D'un autre côté, la corruption, les fraudes et le gaspillage qui ont entouré les ventes d'armes depuis quelques années ont contribué à saper la confiance du public et à discréditer le complexe militaro-industriel. Cette conjoncture favorise sans doute la prise de décisions dans le sens de coupures des budgets de défense.

---

11. Jean-Marie Benoist, "Euromissiles: à quoi bon cet accord"?, *Le Monde*, 1er décembre 1987.
12. Bertrand Le Gendre, "Le détournement d'armes françaises vers l'Iran aurait continué après le changement de majorité", *Le Monde*, 23 décembre 1987.

De façon générale, donc, et même si les embûches demeurent nombreuses, la conjoncture internationale au niveau de la réduction et du contrôle des armements s'est nettement améliorée. Des réalités fondamentales, liées aux difficultés socio-économiques et à la survie de l'humanité, ont fini par s'imposer aux grandes puissances et à de plus en plus d'autres pays. Dans la situation actuelle, il apparaît essentiel que l'Occident saisisse la perche tendue par l'Union soviétique et s'engage résolument sur la voie du contrôle des armements. Voyons maintenant, dans ce contexte, où se situe la politique de défense canadienne.

LA POLITIQUE DE DÉFENSE CANADIENNE: DÉTENTE OU GUERRE FROIDE?

Depuis la Deuxième Guerre mondiale, la politique de défense au Canada a été marquée par une contradiction permanente entre deux objectifs: la promotion de la paix et du désarmement, et la participation aux alliances militaires de l'Occident. Ultimement, cependant, les prétentions et le discours pacifistes du Canada ont toujours fini par céder le pas aux impératifs de défense du North American Aerospace Command (NORAD) et de l'OTAN.

Entre les années 1960 et 1970, le Canada, sous la gouverne de Lester B. Pearson et Pierre E. Trudeau, a pris des initiatives importantes en faveur de la paix. Il a été le seul pays du monde occidental à se départir de ses armes nucléaires. Il s'est impliqué concrètement dans plusieurs missions de paix patronnées par l'ONU. Pierre E. Trudeau s'est prononcé en faveur du gel des armes nucléaires et a tenté de jouer à l'arbitre entre les superpuissances. À la fin des années 60, une réduction de 20 % des troupes stationnées en Europe a été amorcée, le budget de la défense a été gelé et le plan de renouvellement des équipements révisé à la baisse. Exception faite des destroyers de classe Tribal, du renouvellement du stock de munitions et du remplacement des chars Centurion vieux de 20 ans, peu d'investissements majeurs dans le matériel militaire ont été effectués jusqu'au milieu des années 70.

Le livre blanc sur la défense de 1971 a mis l'emphase sur la surveillance des frontières et la protection de la souveraineté nationale. L'accroissement des activités d'exploration a donné lieu à un regain d'intérêt pour la protection des ressources et des richesses pétrolières, gazéifières et halieutiques. Le gouvernement a élargie les limites des eaux territoriales ainsi que celles des zones de pêche sur les côtes est et ouest. D'autres événements liés à la conjoncture politique nationale, notamment la crise d'octobre, ont pour leur part contribué à lui attribuer une partie de la responsabilité pour la sécurité intérieure.

À partir du milieu des années 70, sur la toile de fond du durcissement de la politique américaine à l'endroit de l'Union soviétique et des pressions de l'OTAN pour accroître la participation canadienne à l'effort de défense du bloc occidental, la conjoncture a favorisé la croissance des budgets de la défense et la reprise des dépenses militaires. Le coup d'envoi a été donné avec le programme d'acquisition des chars d'assaut *Leopard* en 1976, suivi notamment des chasseurs F-18 et des frégates de patrouille, deux projets de plus de 5 milliards de dollars chacun.

Cette nouvelle orientation plus "militariste" de la politique de défense n'a cependant été consacrée officiellement qu'avec le dépôt par le gouvernement conservateur de Brian Mulroney, en 1987, d'un nouveau livre blanc sur la défense. Le retard dans la diffusion de ce livre blanc, sur lequel on avait commencé à travailler au début des années 80, s'explique sans doute par les positions ambiguës adoptées par le premier ministre Trudeau. Alors que le Canada procédait pièce par pièce au "réarmement" et qu'il permettait la réalisation d'une série d'essais des missiles de croisière américains, Pierre Trudeau poursuivait sa croisade en faveur de la paix à travers le monde. On voulait sans doute aussi éviter de heurter de front les susceptibilités d'une bonne partie de l'électorat canadien face à la perspective d'augmentations importantes dans les dépenses militaires. L'élection de Ronald Reagan à la présidence des États-Unis en 1980 aura également contribué à convaincre le Canada de reprendre les investissements militaires.

Selon le livre blanc, les impératifs internationaux justifient un accroissement des effectifs militaires et l'injection de sommes colossales dans la modernisation des équipements[13]. On condamne l'attitude du gouvernement fédéral qui, durant une bonne partie des années 1960 et 1970, "a accordé peu d'attention à la sécurité du Canada et aux rapports qu'avait notre pays avec les autres démocraties en matière de défense"[14], et on annonce qu'"il faut réparer les dégâts causés par des décennies d'abandon"[15]. Il importe notamment de renforcer le potentiel de surveillance et de défense du territoire canadien,

---

13. Une partie de cette analyse est tirée de notre article intitulé "Pacifisme et militarisme: la politique de défense du Canada", dans Yves Bélanger et Dorval Brunelle, *L'Ère des libéraux*, Presses de l'Université du Québec, 1989.
14. Ministre de la Défense nationale, *Défis et engagements: une politique de défense pour le Canada*, Ottawa, Approvisionnements et Services Canada, 1987, p. 89.
15. *Ibid.*

d'augmenter les effectifs de la Réserve, de consolider sur le Front central les forces aériennes et terrestres désignées à l'appui des engagements pris envers l'Europe, et d'équiper les Forces canadiennes avec du matériel moderne.

Contrairement au livre blanc de 1971 qui prônait une vision optimiste des relations internationales, celui de 1987 se veut "réaliste" et "a pour but de rappeler que le monde n'est pas toujours aussi inoffensif ou prévisible que nous le voudrions"[16]. Le potentiel militaire soviétique est examiné en détail et constitue, selon les auteurs, la principale menace qui plane sur le Canada. Le parti pris en faveur de l'alliance occidentale est clairement affirmé, et on rejette toute forme de neutralité:

> La sécurité du Canada, dans le sens le plus large du terme, est indissociable de celle de l'Europe... En affectant des forces armées en Europe, le Canada contribue directement à sa propre défense et, qui plus est, s'assure de pouvoir participer à la prise de décisions sur des questions clés en matière de sécurité[17].

Le livre blanc affirme en outre l'importance stratégique de l'Arctique comme zone tampon entre l'Union soviétique et l'Amérique du Nord. Parce qu'on prétend que les forces maritimes possèdent une capacité extrêmement limitée de mener des opérations dans les océans, et en particulier dans l'Arctique, on propose l'acquisition, par étapes, d'une douzaine de sous-marins à propulsion nucléaire (SNN). Parmi les autres mesures importantes visant à renforcer le potentiel maritime dans l'Atlantique et le Pacifique, notons l'achat de six nouvelles frégates de patrouille, qui viendront s'ajouter à celles qui ont déjà été mises en chantier.

Le livre blanc condamne l'écart qu'il perçoit entre les engagements et les ressources. Non seulement une grande partie du matériel qu'utilisent les Forces canadiennes est-il désuet, mais le personnel est nettement insuffisant. Selon le document, c'est le niveau de financement alloué à la défense depuis un quart de siècle qui est au coeur du problème. "Au cours de cette période", peut-on lire, "on a eu tendance à réduire constamment la part du budget fédéral et celle du produit intérieur brut du Canada qui sont consacrées à la défense"[18].

Le gouvernement s'est donc engagé à faire en sorte que le taux de croissance réelle du budget de la défense, après un ajustement pour tenir compte de l'inflation, soit d'au moins 2 % par année et ce pour les 15 prochaines années. Il est à noter que depuis quelques années, les dépenses du

---

16. *Ibid.*
17. *Ibid.*, p. 6.
18. *Ibid.*, p. 43.

ministère de la Défense ont surpassé les engagements canadiens envers l'OTAN. En effet, entre 1985 et 1989, le taux de croissance réelle des dépenses a été de 4,8 %, ce qui dépasse l'objectif de l'OTAN établi à 3 %.

Même s'il n'a pas l'intention d'assumer une fonction nucléaire, le Canada entend participer au maintien de la dissuasion stratégique. En effet, les rôles occupés au sein de NORAD et de l'OTAN doivent contribuer à la stabilité des forces nucléaires des États-Unis[19]. On se propose de poursuivre le programme de modernisation du système de défense aérienne de l'Amérique du Nord. Plusieurs nouveaux systèmes radars seront mis en place. Afin d'accroître le potentiel de surveillance des côtes, les forces aériennes seront dotées de nouveaux avions patrouilleurs à grand et moyen rayon d'action. On prévoit aussi qu'au cours des 15 prochaines années, aux fins d'assurer la défense aérienne de l'Amérique du Nord, d'importantes ressources seront consacrées à la mise en place d'un système de surveillance depuis l'espace. Le livre blanc insiste également sur la nécessité de maintenir une défense classique crédible. Ainsi, on prétend que "plus les forces classiques sont efficaces, moins il est nécessaire de miser sur les armes nucléaires... Pour que soit évité un recours hâtif à ces dernières, il faut que les forces classiques en place soient en mesure de livrer des combats prolongés"[20]. Le Canada doit notamment disposer de forces terrestres plus considérables (réunissant des membres de la force régulière et des réservistes) qui soient bien entraînées et bien équipées.

On ne peut qu'être frappé par la concordance entre l'analyse du livre blanc et la politique poursuivie par les Américains sous le régime de Ronald Reagan. Tout comme les documents gouvernementaux américains de l'époque, l'énoncé de politique canadienne projette une vision bipolaire du monde dominé par la menace soviétique. Tout comme cela sera le cas au Pentagone jusqu'au milieu des années 80, la sécurité internationale sera définie en fonction de la croissance des dépenses militaires. La position canadienne suivra également les Américains sur la voie plus égoïste du *America First*, en faisant passer au second rang les engagements internationaux, notamment ceux liés au maintien de la paix, pour mettre l'accent sur la défense du territoire national et continental. Avec le livre blanc, souveraineté et sécurité deviendront les deux versants d'une même stratégie destinée à donner plus de crédibilité au gouvernement canadien face à ses revendications dans ses eaux territoriales et dans le nord. Cette attitude gênera partiellement les Américains, eux-mêmes intéressés à assumer directement la

---

19. *Ibid.*, p. 17.
20. *Ibid.*, p. 20.

défense maritime du nord de l'Amérique. Les deux gouvernements déclareront néanmoins, au Sommet de Québec tenu en 1985, leur ferme intention d'assurer, en étroite collaboration, la sécurité du continent.

Même si le livre blanc de 1987 met l'emphase sur la souveraineté canadienne, les déterminants fondamentaux de la politique de défense du Canada et de ses engagements militaires découlent de son implication dans deux alliances militaires dominées par les États-Unis, soit NORAD et l'OTAN. À tout le moins pourra-t-on prétendre que le Canada perçoit cette participation comme le meilleur moyen de défendre sa souveraineté. La décision de mettre sur pied NORAD en 1958 avec les États-Unis découle de la volonté d'établir un système de défense aérien du continent nord-américain contre les bombardiers et les missiles soviétiques. La participation à l'OTAN a été justifiée dans la mesure où, selon le gouvernement, une aggression soviétique en Europe mettrait en danger la sécurité du Canada.

Notre principal objectif étant d'évaluer l'impact de l'industrie militaire, nous n'avons pas l'intention de remettre en question la pertinence de la participation canadienne à ces deux alliances. Il faut dire, cependant, que ces choix réduisent considérablement la marge de manoeuvre du Canada, tant au niveau militaire que de la politique extérieure, et qu'ils n'ont rien d'inévitables ou d'immuables. Des discussions publiques larges devront être amorcées dans les prochaines années dans le but de déterminer si ces alliances représentent le meilleur moyen pour le Canada d'assurer non seulement sa propre sécurité, mais aussi la paix mondiale à long terme.

Depuis 1988, le gouvernement canadien, même s'il ne l'avait pas encore admis publiquement au moment d'écrire ces lignes (mai 1989), commence timidement à remettre en question les hypothèses géopolitiques et militaires dépassées du livre blanc. Dans un discours prononcé devant l'ONU en septembre 1988, le Premier ministre Brian Mulroney reconnaît que les progrès sur le chemin de la paix sont importants et encourageants. Il ajoute:

> Je crois que nous sommes à un point dans l'Histoire où nous devons consacrer beaucoup plus d'énergie politique à des problèmes autre que la sécurité... Je veux parler spécifiquement du double défi de la pauvreté chronique et de la détérioration de l'environnement. Je crois que nous n'aurons jamais de véritable sécurité avant que ces problèmes ne soient résolus avec succès[21].

---

21. Brian Mulroney, *Discours prononcé devant l'Assemblée générale des Nations Unies*, Affaires extérieures du Canada, 1988, p. 3.

Par ailleurs, l'opinion publique canadienne prend de plus en plus ses distances à l'égard des points de vue énoncés dans le livre blanc. Un sondage réalisé pour l'Institut canadien pour la paix et la sécurité internationales démontre qu'une forte majorité de Canadiens (75 %) juge improbable une attaque soviétique contre l'Europe, le Japon ou l'Amérique du Nord. De plus, les États-Unis sont perçus comme une menace au même titre que l'URSS. La course aux armements et le risque qu'un conflit régional entraîne une guerre nucléaire sont perçus comme la pire menace[22]. D'autres sondages indiquent une forte opposition à l'augmentation des budgets militaires, et notamment au projet de construction de sous-marins nucléaires pour la marine canadienne (opposition de 69 % selon le sondage Gallup de janvier 1989). Ajoutons qu'en 1989, la conjoncture est favorable à l'adoption de mesures de démilitarisation du Nord qui soient applicables et vérifiables, et à la signature éventuelle d'un traité bilatéral de coopération dans l'Arctique avec l'URSS. C'est sans doute dans le Nord que le Canada peut exercer le plus d'influence dans le domaine des relations Est-Ouest.

Aux prises avec de sérieux problèmes budgétaires, le gouvernement canadien a décidé, à l'occasion du dépôt du budget 1989-1990, de procéder à des coupures de 2,7 milliards de dollars sur cinq ans dans les dépenses prévues par le ministère de la Défense. On prévoit notamment la fermeture de sept bases militaires, la réduction des activités de sept autres, l'abandon du programme des sous-marins nucléaires, des réductions importantes dans les commandes de chars d'assaut et de véhicules blindés, le non-remplacement des F-18 écrasés, et l'abandon du projet d'achat de patrouilleurs à long rayon d'action. Notons cependant que ces propositions donnent présentement lieu à des négociations et des pressions qui pourraient "sauver" certains programmes. La réduction du budget militaire demeure néanmoins assez modeste. Pour 1989-1990, les crédits ont été fixés à 11,2 milliards de dollars, soit 1,2 % de plus que les dépenses effectives de 1988-1989. Le taux de croissance sera ensuite d'environ 5 % par année jusqu'en 1993-1994. Il s'agit beaucoup plus d'une réduction du rythme de croissance des dépenses que d'une remise en question fondamentale de la part de la défense dans le budget national.

En mettant de côté certaines propositions du livre blanc, le gouvernement canadien a cherché beaucoup plus à s'attaquer au déficit et à désarmorcer une opposition de plus en plus hostile, qu'à effectuer une contribution positive en faveur de la détente Est-Ouest et de la paix mondiale. Souhaitons

---

22. «Les superpuissances et la sécurité internationale", *Paix et sécurité*, hiver 1988-1989, p. 5.

que dans les années à venir, le Canada comprendra, comme plusieurs pays européens, l'importance de réagir positivement aux initiatives venant de l'URSS, et assumera un rôle plus actif dans le contrôle et la réduction des armements.

LA POLITIQUE D'APPROVISIONNEMENT MILITAIRE: L'INTÉGRATION NORD-AMÉRICAINE

La politique d'approvisionnement en matériel militaire constitue le trait d'union entre la politique de défense et l'industrie militaire. Elle représente aussi un complément essentiel à la politique de défense. Avant d'examiner la politique proposée en marge du livre blanc et du libre-échange, il nous apparaît important de faire ressortir au niveau historique la principale constante de la production militaire canadienne, soit son intégration à l'industrie de défense américaine.

Les liens de coopération militaire entre le Canada et les États-Unis se sont établis à l'occasion de la Deuxième Guerre mondiale. À l'époque, l'importance de l'effort exigé de l'Amérique du Nord pour l'approvisionnement des troupes alliées avait amené Ottawa et Washington à conclure un accord de nature strictement économique (déclaration de Hyde Park en 1941) dans le but de faciliter l'approvisionnement des usines canadiennes. Le gouvernement canadien nourrissait cependant d'autres ambitions qui se manifestèrent dès la fin des hostilités. Son industrie militaire s'était en effet hissée au second rang de la production mondiale d'armes et on espérait préserver certains acquis en vue de favoriser l'émergence d'une industrie nationale de pointe apte à concurrencer les États-Unis et l'Europe. En favorisant notamment la reconstruction de l'industrie lourde européenne, le Plan Marshall força le Canada à plus de réalisme. Plusieurs usines furent fermées, mais on préserva certains créneaux à partir desquels on espérait moderniser le parc industriel civil et aménager pour les industries canadiennes un accès aux marchés internationaux les plus prometteurs. C'est dans cette perspective qu'on injecta d'importantes sommes d'argent dans le programme aéronautique militaire, notamment le projet de chasseur CF-100. Parallèlement, le Cabinet fédéral mit de l'avant l'idée d'une défense collective pour les pays alliés. Ce projet se concrétisa avec la création de l'OTAN. Le Canada visait donc non seulement une place de choix sur le marché mondial des armes, mais également un rôle international autonome face aux Américains.

La conjoncture se gâta au cours de la seconde moitié des années 50. L'acquisition successive par les Soviétiques de la maîtrise des armes nucléaires et des technologies nécessaires à la construction de missiles intercontinentaux fit basculer le rapport de forces au plan international. Il devint clair pour les Américains que la priorité absolue devait être accordée à la protection de leur territoire national et, pour l'assurer avec un minimum d'efficacité, il apparaissait impératif de convaincre le Canada de participer à un effort commun en vue d'améliorer la protection du territoire aérien à l'échelle du continent. Cette démarche devait déboucher sur la signature du NORAD en 1958.

Après l'échec retentissant et fort coûteux du projet d'avions de chasse Arrow, dont nous reparlerons au chapitre 5, le Canada se mit de son côté à la recherche d'une formule susceptible d'élargir l'accès aux technologies et au marché américains. Il revendiqua donc auprès des Américains un traité de libre-échange dans le domaine militaire. Les accords du *Defence Production Sharing Agreement* furent signés en 1959. En vertu du nouveau pacte, les États-Unis s'engageaient à renoncer à la réglementation du *Buy America Act* dans le secteur de la défense, à abandonner les tarifs douaniers pour les produits découlant des sous-contrats émanant des maîtres d'oeuvre américains, et à assouplir les mesures de sécurité nationale. Le Canada devait pour sa part endosser une partie des frais des entreprises canadiennes appelées à soumissionner sur des contrats américains et aider ces entreprises à obtenir lesdits contrats.

En théorie, le DPSA devait ouvrir un large marché aux firmes canadiennes. Le maintien de certaines législations sectorielles à caractère protectionniste, comme le *Jones Act* dans l'industrie navale, et les règles régissant les approvisionnements en munitions et en armement nucléaire ont cependant restreint la portée de l'accord. Notons aussi que les petits contrats (moins de 200 000 $) furent exclus du DPSA. Concrètement donc, les échanges réalisés dans le cadre du DPSA n'élargirent que marginalement le champ d'application du traité NORAD. De 1960 à 1986, plus de 90 % des transactions seront effectuées dans les secteurs de l'aéronautique et de l'électronique. Par ailleurs, dans ces deux domaines névralgiques de l'industrie de pointe, le resserrement de la problématique industrielle et technologique en direction des systèmes américains mettra fin aux tentatives de collaboration avec l'Europe. Sauf pour quelques rares usines qui se tourneront vers des systèmes civils, les fabricants associés au complexe militaire canadien deviendront sous-traitants auprès des sociétés américaines.

Les accords du DPSA ont été renégociés en 1968, puis reconduits par la suite sur une base quinquennale. Chacune des périodes de renouvellement a fourni au Canada l'occasion de faire état de ses récriminations à l'endroit du caractère inégal des échanges. Périodiquement, les Américains ont assoupli les règles régissant l'octroi de leurs contrats, mais sans véritablement libéraliser l'accès aux marchés demeurés sous la protection de leur législation nationale.

Les ententes de 1958-1959 ont eu trois conséquences principales pour les fabricants canadiens. Premièrement, ils ont favorisé l'émergence d'une expertise canadienne dans la fabrication de certaines pièces et sous-systèmes, au détriment de la maîtrise d'oeuvre, ce qui a alimenté le déficit technologique du Canada. Deuxièmement, ils ont accru la part du militaire dans la production aéronautique et électronique nationale, qui a atteint, au début des années 1980, un niveau de 35 %. Troisièmement, ils ont donné lieu à des prises de contrôle qui font en sorte que 19 des 25 principaux acteurs de l'électronique et de l'aéronautique sont sous propriété étrangère, principalement américaine.

Dans le cadre des accords de NORAD et du DPSA, la part des exportations canadiennes destinée au marché américain a graduellement atteint 85 % dans les secteurs de l'aéronautique et de l'électronique. Quant à la fabrication de pièces, cette proportion est de 96 %. Or, dans ces trois secteurs, les exportations représentent plus de 75 % de toute la production canadienne. Les maîtres d'oeuvre qui ont survécu depuis la fin des années 50 sont également fortement tributaires du complexe industriel américain.

Au début des années 70, cette forte intégration au marché américain a inquiété le gouvernement canadien. En même temps qu'au niveau politique, le livre blanc sur la défense de 1971 a mis l'accent sur la défense du territoire national et le démantèlement des missiles nucléaires sur le sol canadien, le gouvernement a choisi de poursuivre une politique d'approvisionnement plus nationaliste. On a notamment cherché à maximiser au plan local les retombées des contrats militaires. Le niveau du contenu canadien est devenu une préoccupation de premier plan. Ces nouvelles sensibilités se sont manifestées, par exemple, au moment de l'attribution du contrat des avions Aurora et F-18. Les maîtres d'oeuvre américains ont dû s'engager à assurer des retombées économiques diverses équivalant environ à 120 % de la valeur des contrats. Soulignons aussi que, dans les secteurs plus ouverts au plan international, une des priorités dans les critères de sélection est devenue la maximisation des compensations économiques globales, comprenant à la fois les retombées économiques directes et indirectes.

Dans l'ensemble, cependant, les retombées économiques de ces contrats se sont avérées faibles. Dans le cas des Aurora et F-18, l'approche que nous venons de décrire et que les anglophones appellent "offset" a donné lieu à l'importation de matériel électronique sophistiqué. L'analyse des projets entrepris depuis le début des années 80 révèle en effet une tendance de la part des maîtres d'oeuvre américains à concentrer les retombées dans l'achat de ressources naturelles ou de produits semi-finis. Très peu d'entreprises canadiennes se sont vu confier des mandats de fabrication liés au contenu technologique des systèmes militaires, ne contribuant que très marginalement à l'émergence d'une expertise canadienne de haut niveau susceptible de soutenir les exportations. En conséquence, au lieu d'aider à combler le déficit commercial du Canada, l'accroissement des budgets de la Défense a, paradoxalement, contribué à l'accentuer. En 1975, le déficit pour l'année était de 44 millions de dollars. Lors de la mise en marche du programme F-18 en 1982, il a atteint les niveaux records de 435 millions de dollars et s'est à peu de choses près maintenu depuis.

On a tenté de corriger cette situation au cours des dernières années en exigeant des entreprises, notamment des entreprises étrangères, des garanties additionnelles en matière de transferts de technologies. L'objectif d'Ottawa est d'obtenir des concepteurs de systèmes d'armes des engagements en ce qui a trait à l'implantation de nouvelles usines disposant de mandats mondiaux. On est ainsi parvenu, par exemple, à convaincre la société suisse Oerlikon-Burhle de confier à sa nouvelle filiale canadienne des responsabilités étendues pour la recherche et le développement (R-D) et la commercialisation de ses systèmes de défense à basse altitude. Dans le cas de Paramax, une filiale de la société américaine Unisys, le centre de recherche localisé à Montréal dispose d'un mandat mondial et la maison mère s'est en outre engagée à canadianiser sa filiale d'ici 1992.

Le profil de l'entrepreneurship canadien dans le domaine de la défense s'est donc modifié dans une certaine mesure. Avant 1975, l'industrie de la défense n'était rien d'autre que le prolongement du complexe militaro-industriel américain dans les secteurs touchés par le DPSA, alors qu'elle n'avait pas de consistance réelle dans les autres domaines d'activité. Après 1975, la reprise des achats d'armes et les nouvelles sensibilités économiques du gouvernement fédéral ont permis l'émergence de maîtres d'oeuvre nationaux, notamment dans les secteurs du matériel de transport roulant, l'industrie navale et dans la gestion de grands projets (ingénierie). Plusieurs contrats ont été dirigés vers des sociétés sous contrôle canadien qui se sont intéressées au marché de la défense à la demande même du gouvernement fédéral. Un grand nombre d'entre elles a d'ailleurs eu droit à un soutien très actif de la part des institutions gouvernementales dans l'espoir qu'elles se taillent une place sur le marché international.

En fait, l'évolution de la structure de production canadienne a favorisé l'émergence d'un nouveau complexe industriel national. Depuis 1980, tous les programmes importants ont été pilotés ou copilotés par des firmes canadiennes, ce qui a contribué à créer des centres d'expertise et de gestion dans la plupart des provinces. La faiblesse de ce nouveau noyau entrepreneurial réside d'ailleurs précisément dans sa très grande dépendance face au marché national. Par exemple, un groupe comme Bombardier, dont environ 20 % des revenus proviennent du militaire, n'exporte que très peu d'équipement de défense.

Pourquoi tous ces efforts en vue de constituer un complexe militaire? On peut trouver des éléments de réponse en étudiant le statut privilégié du secteur militaire. Il importe en premier lieu de rappeler que le marché de la défense est un marché d'État (monopsone) et, qu'à ce titre, il est particulièrement sensible aux influences politiques et offre un champ d'intervention privilégié au gouvernement. Le profil particulier du commerce militaire (concurrence limitée, rentabilité assurée, contrôle des exportations, contrôle technologique, etc.) permet par ailleurs une grande autonomie d'action aux appareils gouvernementaux.

Au cours des dernières années, l'influence des programmes militaires s'est fait sentir à plusieurs niveaux. Dans le domaine du développement régional, par exemple, le gouvernement fédéral s'est doté de mécanismes complexes de sélection des entreprises qui visent à favoriser une redistribution des contrats axée sur la spécialisation des régions. Présentement, les budgets associés aux programmes militaires représentent une somme près de cinq fois supérieure au budget du ministère de l'Expansion industrielle régionale.

En ce qui a trait à la R-D, l'influence des programmes militaires n'est plus à démontrer. Présentement, la Défense contrôle les plus importants programmes de soutien à la R-D en vigueur au Canada. Le Programme de production de l'industrie du matériel de défense (PPIMD) s'est vu assigner un budget de 180 millions de dollars en 1987-1988. En ajoutant à ce montant les fonds affectés à des programmes spécifiques au contenu technologique élevé, comme les programmes spatiaux, la somme des budgets directement ou indirectement liés aux programmes militaires atteint près de 300 millions de dollars, soit plus de 50 % de l'ensemble des subventions en R-D versées par le gouvernement fédéral. Plusieurs secteurs dont la position est névralgique pour l'avenir de la recherche industrielle, comme l'électronique et l'aérospatiale, recueillent déjà une part très substantielle de leur financement auprès des programmes militaires. Or, la ligne de conduite suivie par les différents organismes chargés d'administrer les programmes militaires est orientée de façon à privilégier la promotion de systèmes offrant des débouchés dans l'industrie civile.

C'est dans ce contexte général qu'a été publié en 1987 le livre blanc sur la défense. Deux études gouvernementales, parues peu après, se sont penchées sur la situation de l'industrie de la défense dans le but d'améliorer la capacité de l'industrie militaire canadienne de s'adapter à une situation de guerre. Il s'agit de *L'état de préparation de l'industrie de la défense: une assise de la défense*, et de *L'étude de l'industrie du matériel de défense 1987*[23]. Même si on y affirme que "le principe de l'établissement de sources d'approvisionnement nationales devrait constituer la pierre angulaire de toute politique visant l'état de préparation de l'industrie de défense", et que "certains articles critiques doivent être produits par l'industrie nationale, pour des raisons liées à la souveraineté et/ou à la sécurité du pays"[24], on propose de renforcer encore davantage l'intégration des industries de défense canadienne et américaine:

> ... le renforcement de l'industrie nord-américaine du matériel de défense (par le biais d'une planification conjointe de l'état de préparation industrielle avec le Département de la défense américain) est la solution la plus viable sur les plans économique et militaire[25].

On note que le coût élevé des systèmes d'armes et des programmes de recherche et de développement accélère le rythme de formation de consortiums multinationaux, et que peu de sociétés canadiennes ont les moyens d'entreprendre des recherches autonomes sur le matériel de défense. La production militaire au niveau international tend d'ailleurs de plus en plus vers la spécialisation et le partage de la maîtrise d'oeuvre entre plusieurs pays.

Pour endiguer les coûts et la concurrence, l'OTAN a poussé ses membres à harmoniser la production et réduire l'éventail des systèmes en opération. La rentabilisation des investissements nationaux passe par l'élargissement des marchés. Des préoccupations d'ordre stratégique ont également favorisé la rationalisation et la standardisation des systèmes d'armes et une intégration technologique plus poussée. La conférence des directeurs nationaux des armements de l'OTAN a d'ailleurs tenté de rapprocher les décideurs des différents pays en vue d'encourager une distribution plus sélective des technologies militaires au plan international. Les chefs des États membres de l'OTAN enclenchaient à Bonn en 1982 une dynamique de

---

23. Groupe de travail sur l'état de préparation industrielle de défense, *L'état de préparation de l'industrie de la défense: une assise de la défense*, ministère de la Défense. Approvisionnements et Services Canada, 1987, et Direction des industries de défense et planification d'urgence, *L'étude de l'industrie du matériel de défense 1987*, Approvisionnements et services Canada, 1987.
24. Groupe de travail sur l'état de préparation industrielle de défense, *op. cit.*, p. 2-2.
25. *Ibid.*, p. 2-5.

collaboration qui allait favoriser l'internationalisation des systèmes d'armement:

> Nous chercherons à exploiter avec plus d'efficacité les ressources nationales destinées à la défense, en restant attentifs aux possibilités de développement de secteurs de coopération pratique. A cet égard, les pays alliés intéressés exploreront d'urgence les moyens de tirer pleinement parti, techniquement et économiquement, des technologies nouvelles[26].

De plus en plus, donc, les systèmes d'armement donnent lieu à la formation de consortiums internationaux qui se redistribuent ensuite la fabrication des composants. Le mécanisme économique préconisé par l'OTAN permet la négociation des retombées, ou plus simplement des versements de subventions susceptibles de répartir le coût de fabrication entre le client et le fabricant. Le Canada s'est inspiré de cette formule depuis le début des années 80 en vue de garantir un minimum de retombées au plan national pour ses grands projets. Parallèlement, il a utilisé ses contrats militaires en vue de permettre à des firmes nationales de se tailler une place dans les grands consortiums internationaux. Il a tenté enfin de réduire l'éventail de sa production et de se spécialiser dans les créneaux internationaux où ses entreprises possédaient des avantages comparatifs.

Si, selon les études gouvernementales publiées en marge du livre blanc de 1987, le meilleur moyen d'atteindre ces objectifs est de renforcer l'intégration de l'industrie militaire nord-américaine, il n'en demeure pas moins que, malgré les récriminations canadiennes, les barrières protectionnistes américaines demeurent élevées et que l'accès des firmes canadiennes au marché américain est limité. Parmi ces "formidables et nombreuses barrières qui font obstacle à la coopération industrielle de défense", notons les motifs liés à la sécurité et l'"intérêt national", le *Small Business Set Asides Act* et le *Buy America Act*, les lois anti-dumping et les lois sur le droit compensateur, les limitations spéciales telles que les programmes d'assistance militaire et les décisions discrétionnaires du Président basées sur les recommandations de l'Exécutif. Le Groupe de travail sur l'état de préparation industrielle de défense semble cependant croire qu'il y a moyen de renverser la vapeur:

---

26. Cité par John Stone, "La CDNA — point central de la coopération dans le domaine des matériels", dans *Revue-OTAN*, janvier 1984, p. 10.

> Le Canada et les États-Unis devraient s'entendre pour éliminer toutes les barrières susceptibles d'entraver la libre circulation des articles et des services de défense entre les deux pays, y conpris les restrictions législatives et politiques pertinentes[27].

L'intégration des systèmes de défense et des industries militaires canadiennes et américaines comporte évidemment des conséquences pour la marge de manoeuvre et l'autonomie politique du Canada. Dans le cas du projet de guerre des étoiles (IDS), par exemple, le gouvernement canadien a été placé devant un fait accompli et, une fois le programme amorcé, a été invité à y participer. Après maintes tergiversations, il a décidé de désapprouver le principe, mais a accepté de collaborer indirectement à certaines recherches, notamment dans le but de déterminer la faisabilité d'une défense anti-missile à base de rayons lasers ou de faisceaux de particules. Même si la pertinence de l'IDS est loin de faire l'unanimité, le Canada s'est laissé séduire par les avantages économiques et technologiques potentiels du programme. Comme l'a souligné Michel Fortman, Ottawa se trouvait face "à un choix entre les avantages très concrets que promet une collaboration en matière de défense avec les États-Unis à court terme, et les risques incalculables, mais éloignés, que peut nous faire courir cette même collaboration dans les années 1990"[28]. Il ne faut cependant pas oublier que le Pentagone demeure le maître d'oeuvre de l'opération et n'accorde en général que des contrats de sous-traitance aux partenaires étrangers. Cette division du travail permet de structurer une partie de la recherche de pointe dans les pays alliés, tout en réservant aux Américains l'accès à l'expertise développée dans certains créneaux de recherche. L'offre américaine vise également un objectif politique dans la mesure où, une fois impliqués dans ce programme de recherche, les partenaires pourront difficilement s'opposer à la mise en application d'un système auquel ils auront contribué.

La politique d'approvisionnement en matériel militaire du Canada a toujours eu comme objectif important de promouvoir le développement économique et la création d'emplois. Dans le contexte du libre-échange entre le Canada et les États-Unis, il semble tout à fait probable que le matériel de défense, ainsi que la recherche et le développement qui y sont associés, joueront un rôle encore plus essentiel dans la stratégie industrielle canadienne. C'est d'ailleurs la tendance dominante aux États-Unis depuis de nombreuses

---

27. Groupe de travail sur l'état de préparation industrielle de défense, *op. cit.*, p. 4-5.
28. Cité par Jocelyn Coulon, "Le Canada doit rester prudent face aux orientations militaires américaines", *Le Devoir*, 25 novembre 1985.

années. En effet, le département de la défense a réussi à imposer un nouveau type de guerre, soit la guerre commerciale globale, et le budget de la défense est devenu un outil primordial pour intervenir directement afin d'appuyer les industries de haute technologie en état de faiblesse. Dans le développement de ce qu'il appelle "le complexe militaro-commercial", un journaliste américain note:

> Le Département de la Défense joue donc un rôle de plus en plus inattendu: celui d'utilisateur de capital-risque, faisant équipe avec des alliances de firmes privées pour accélérer le développement des hautes technologies les plus fines[29].

Le Pentagone annonçait par exemple, en décembre 1988, son intention de dépenser des dizaines de millions de dollars afin de permettre la mise au point de la télévision de haute définition. En plus des dimensions militaires, cette technologie qui permettra d'obtenir des images de meilleure qualité que les actuelles comporte également des implications commerciales évidentes. A l'heure actuelle, les industriels japonais et européens possèdent une avance technologique importante sur un marché estimé à 10 milliards de dollars pour les dix prochaines années aux États-Unis seulement.

Il n'est donc pas étonnant que les États-Unis aient insisté pour que le matériel de défense, qui n'est pas régi par le DPSA, soit exclu du libre-échange. Dans ce contexte, les ambitions canadiennes d'occuper une place quantitativement et qualitativement supérieure sur le marché nord-américain de l'armement semblent peu réalistes. Par ailleurs, le libre-échange risque de contraindre le Canada à réduire, d'ici la fin de la période de transition prévue par le traité, l'étendue et la portée des nombreux programmes de subvention aux entreprises qu'il utilise pour orienter et appuyer le développement économique, y compris l'innovation technologique, le soutien à l'entrepreneurship et le développement régional. La tentation d'utiliser les programmes d'approvisionnement en équipement militaire pour remplacer ces différentes mesures pourrait devenir plus forte que jamais, et ce malgré les fortes baisses prévues dans les commandes militaires, tant au niveau national qu'international.

Dans la conjoncture actuelle, il est fort probable que le mouvement de démilitarisation se poursuivra au niveau mondial dans les prochaines années. Inévitablement, ce mouvement provoquera des remises en question et des bouleversements économiques dans les pays producteurs d'armement. Il est à

---

29. David C. Morrison, "Le complexe militaro-commercial américain", *Le Monde diplomatique*, avril 1989.

prévoir notamment que le resserrement du marché militaire entraînera plusieurs pays à adopter des mesures et des comportements protectionnistes pour ralentir le déclin de leurs industries nationales. Dans ce contexte, le Canada et le Québec nous semblent particulièrement vulnérables, non seulement parce que, comme nous le verrons dans les chapitres suivants, ils ont lourdement misé sur le développement de leurs industries militaires, mais aussi parce qu'ils sont très dépendants de l'économie militaire américaine.

CHAPITRE 2
L'ÉCONOMIE MILITAIRE AU CANADA

Malgré les tendances récentes en faveur de la réduction des dépenses militaires, l'industrie canadienne de la défense connaît présentement une des phases de croissance les plus spectaculaires de son histoire. La valeur de production est passée d'à peine 1 milliard de dollars en 1980 à plus de 8 milliards au cours de l'année 1988. Sur les 144 pays recensés par l'Agence américaine sur le contrôle des armes et le désarmement, le Canada occupe le 15e rang des fabricants d'armes, le 27e rang des exportateurs, mais le 6e rang du budget par soldat[1]. Le tableau 2-1 montre la place du Canada dans le monde de l'armement en 1984. Parmi les 16 membres de l'OTAN, le budget militaire du Canada lui permet de se ranger en sixième place derrière des pays qui sont toutefois beaucoup plus peuplés et où l'effort financier représenté par la défense est souvent moins important. On aura compris que ces chiffres ne font état que des transactions officielles et ne tiennent pas compte du marché gris ou noir dont l'étendue est, pour l'instant, impossible à déterminer.

Contentons-nous donc des chiffres officiels. Au cours de l'année financière 1988-1989, la valeur totale des dépenses gouvernementales en matière de défense s'est établie à plus de 11,1 milliards de dollars. Tel que l'indique le tableau 2-2, ce budget correspond à 9,6 % des dépenses de l'État fédéral, soit environ 5 % des dépenses effectuées par l'ensemble des administrations gouvernementales du pays. Cela représente une valeur équivalente à 2,1 % du Produit national brut[2]. À ce niveau, la performance canadienne se situe en deçà de celle de plusieurs pays. Il ne fait aucun doute que le Canada possède une économie moins militarisée que celle des grandes puissances.

---

1. United States Control and Disarmament Agency, *World Military Expenditures and Arms Transfers 1986*, ACDA Publication, 1987.
2. Canada, Ministère de la Défense nationale, *Defense 1984*, MASC, 1985, p. 10.

Rappelons, pour fin de comparaison, que le quart du budget américain et plus du tiers du budget soviétique sont versés au compte de la Défense[3].

Tableau 2-1
La place du Canada dans le monde de l'armement, 1984

Pays	Dépenses mil. millions US	%	Exportations millions US	%	Part du PIB %
Union soviétique	260 000	36,1	11 100	26,6	12,6
États-Unis	237 000	28,4	10 200	24,6	6,3
Royaume-Uni	25 410	0,3	15 000	3,6	5,3
Chine	24 040	2,9	1 900	4,6	7,5
Allemagne ouest	22 780	2,7	2 800	6,8	3,7
France	22 350	2,7	3 600	8,7	4,2
Arabie saoudite	22 220	2,7	40	0	21,3
Iraq	14 640	1,7	0	0	42,5
Pologne	13 440	1,6	775	1,9	5,7
Japon	12 700	1,5	280	0,7	0,1
Iran	11 360	1,4	0	0	7,2
Allemagne est	10 680	1,3	380	0,9	6,3
Italie	10 110	1,2	1 000	2,4	2,7
Tchécoslovaquie	7 642	0,9	725	1,7	5,8
Canada	7 603	0,9	140	0,4	2,2
Israël	7 206	0,8	240	0,6	27,2
Inde	7 141	0,8	20	0	3,5
Roumanie	5 350	0,6	270	0,7	4,4
Corée du Nord	5 200	0,6	380	0,9	22,6
Égypte	5 122	0,6	200	0,5	12,6
Total	835 700	100,0	41 425	100,0	100,0

Source: United States Control and Disarmament Agency, *World Military Expenditures and Arms Transfers 1986*, ACDA Publication, 1987.

3. SIPRI, "World Armament and Disarmament", *Yearbook 1986*, Stockholm, SIPRI, 1987.

Tableau 2-2
Part du budget fédéral consacrée à la défense

Année	PIB brut millions	Budget féd. millions	Budget MDN millions	Part du budget féd. %
1978-79	243 976	40 476	4 128	8,9
1979-80	277 222	50 768	4 375	8,6
1980-81	312 712	57 862	5 049	8,7
1981-82	348 936	63 974	5 907	9,2
1982-83	369 858	72 935	7 041	9,7
1983-84	403 609	85 618	7 840	9,2
1984-85	440 347	94 554	8 767	9,3
1985-86	474 087	102 531	9 383	9,2
1986-87	501 944	107 008	9 955	9,3
1987-88	521 520	110 141	10 340	9,4
1988-89	nd	114 000	11 100	9,6

Source: Ministère de la Défense nationale.

Depuis le début des années 80 et surtout depuis la publication du dernier livre blanc sur la défense, le Canada sent cependant le besoin de faire du rattrapage et ne lésine pas sur les investissements militaires. Les conséquences de cette évolution sur l'industrie sont évidemment majeures. Le nombre d'entreprises présentement impliquées dans la fabrication militaire s'établit à 45 000; 300 d'entre elles sont totalement spécialisées dans le militaire[4]. Les contrats d'armement sont perçus par les milieux d'affaires comme une manne inépuisable et très lucrative. Dernièrement, le magazine québécois PME livrait à ses lecteurs différentes recettes pour tirer bénéfice des budgets de défense[5]. Pour plusieurs fabricants, les contrats de défense représentent déjà entre 20 % et 40 % de leur chiffre d'affaires.

Les tendances générales ne laissent place à aucune ambiguïté. S'il est vrai que l'économie militaire canadienne se situe à un niveau inférieur à celui des grandes puissances, il est indéniable qu'elle progresse à un rythme accéléré, entraînant dans son sillage un pan entier de la structure industrielle. Or, l'industrie manufacturière canadienne est chancelante. Selon plusieurs chercheurs, elle connaîtrait présentement une phase de déclin. Les contrats militaires sont donc souvent perçus comme des bouées de sauvetage dont les retombées abondantes sont un gage pour l'avenir. Actuellement, même les

4. *Magazine PME*, mai 1988.
5. *Idem.*

plus petites villes cherchent désespérément à attirer chez elles une partie de cette manne. Comme les contrats militaires sont par définition perméables au jeu politique, les processions au ministère de la Défense font plus que jamais partie de l'arsenal stratégique du développement économique.

La croissance du militaire a cependant connu récemment une période d'interruption. Contrairement à ce qui avait été planifié, les prévisions du budget pour la période 1989-1994 ont été révisées à la baisse. Au total, 2.7 milliards de dollars ont été retranchés au budget de la défense, entraînant une remise en question de quelques projets d'investissement. La politique budgétaire actuelle indique que le rythme de croissance des ressources de la défense reprendra le chemin de la croissance dès 1990-1991, mais les coupures obligent l'armée à renoncer à certains achats comme les sous-marins nucléaires ou le remplacement des F-18 écrasés. Ce changement d'orientation est suffisamment important pour que le ministre de la Défense ait senti la nécessité d'annoncer la publication prochaine d'une mise à jour du livre blanc sur la défense qui , selon les informations disponibles, veillera à réajuster le discours et les projets du Canada à la réalité politique internationale et aux nouvelles contraintes budgétaires nationales.

Dans le contexte de croissance des dernières années, le thème de l'emploi a donné lieu à une impressionnante brochette d'études souvent contradictoires. Parmi celles-ci, relevons les évaluations du gouvernement lui-même, qui affirme dans le livre blanc sur la défense que l'apport d'emplois nouveaux a été de 294 000 pour la seule année 1985[6]. En incluant les emplois des forces armées et ceux des fonctionnaires responsables de l'administration des dossiers, pas moins de 450 000 personnes travailleraient présentement pour la "cause" militaire à l'échelle du pays. Cette évaluation est cependant contestée. Ainsi, dans le cadre d'une recherche récente, l'économiste John Treddenick concluait que l'emploi manufacturier total redevable à toutes les industries liées à la défense était de 88 830 en 1984-85[7]. Notre propre évaluation nous amenait récemment à la conclusion qu'il était plus probable que l'emploi québécois lié à la fabrication militaire se situe entre 30 000 et 50 000[8]. Au total, le nombre des québécois au service de la défense serait approximativement de 60 000.

---

6. Gouvernement du Canada, Ministère de la Défense nationale, *Défis et engagements, une politique de défense pour le Canada*, Ottawa, MDN, 1987
7. Dans D. G. Haglund, *op. cit.*
8. Yves Bélanger, "L'industrie militaire au Québec: un cul-de-sac?" dans *Relations*, octobre 1988

LE COMPLEXE MILITARO-INDUSTRIEL CANADIEN

Il faut reconnaître que les commandes militaires produisent des retombées sur des milliers d'entreprises canadiennes. Mais seule une faible proportion de ces entreprises joue un rôle de leader au plan de la recherche et de la conception des systèmes. En effet, depuis une trentaine d'années, l'industrie canadienne s'est rapprochée des entreprises américaines. Quarante pour cent de la production canadienne est exportée, et 70 % de ces exportations sont expédiées aux États-Unis. Réciproquement, le Canada importe au-delà de 60 % de ses armes, et la majorité (80 %) provient des États-Unis. L'intégration à l'industrie américaine est donc poussée et les projets d'avenir du gouvernement canadien se fondent sur une dynamique bilatérale encore plus étroite[9]. Le tableau 2-3 montre les 50 principaux fabricants de l'industrie de la défense canadienne selon la valeur des contrats. Il inclut également les secteurs d'appartenance, la propriété et les systèmes fabriqués par ces entreprises.

La forte dépendance à l'endroit des États-Unis est sans doute une des principales caractéristiques de l'industrie canadienne. On a d'ailleurs souvent décrit l'industrie nationale comme rien de plus que le prolongement du complexe militaro-industriel américain. Il est vrai que la dynamique commerciale introduite à la suite de la signature des accords NORAD et DPSA à la fin des années 50, a incité de nombreuses entreprises à se spécialiser dans des créneaux offrant des ouvertures du côté américain. Mais cette stratégie commerciale n'a pas eu un succès égal dans tous les secteurs industriels. Une analyse attentive de la structure des exportations canadiennes permet plutôt de constater que l'intégration ne s'est manifestée que dans les secteurs de l'aérospatiale et de l'électronique. Ailleurs, la domination américaine est beaucoup moins évidente. On a donc l'impression d'être confronté non pas à un, mais à deux complexes industriels différents, dont l'un est lié au marché américain et l'autre au marché intérieur canadien.

---

9. Gouvernement du Canada, Ministère de la Défense nationale, *L'état de préparation de l'industrie de défense: une assise de la défense*, Ottawa, MDN, 1987.

Tableau 2-3
Les 50 principaux fabricants de l'industrie de la défense du Canada

Entreprise	Province	Secteur	Systèmes	Propriété	Valeur des contrats 1980-1985 ('000,000 $)
St-John Shipbuilding	N-B	Naval	Frégates	(CAN.)	3 700
Litton	ONT.	Électron.	ILS/MLS Syst. de commande	Litton (É-U)	1 800
Bombardier	QUÉ.	Transport	Camions Iltis Motos, motoneige	(CAN.)	1 000
Marconi	QUÉ.	Électron.	Syst. communication Syst. atterrissage	GE (Grande-B.)	950
G.M. Canada	ONT.	Transport	LAV Syst. divers	G.M. (É-U)	700
Daf-Indall	ONT.	Aéro	Syst. atterrissage Hélicoptères Pièces Électron.	Rio-Tinto (Grande-B.)	600
Paramax	QUÉ.	Électron.	Syst. commande Syst. combat	Unisys (É-U)	650
De Havilland	ONT.	Aéro	Buffalo, DHC-5 DHC-7, DHC-8 Structures d'avions	Boeing (É-U)	450
Bristol Aérospace	MAN.	Aéro	Eléments de structure Revision, réparation Composants	Rolls-Royce (Grande-B.)	480
Versatile Pacific	C-B	Naval	Bateaux	Versatile (CAN.)	500
Groupe Marine Industries	QUÉ.	Naval	Bateaux	SGF (CAN.)	500
Canadair	QUÉ.	Aéro	CL-600,CL-601 CL-89,CL-289 CL-217, Structures Entretien CF-18	Bombardier (QUÉ.)	500
Arsenaux Canadiens	QUÉ.	Munitions	Munitions	SNC (CAN.)	500
Raytheon of Canada	ONT.	Aéro	Radars	Raytheon USA (É-U)	400

Pratt & Whitney	QUÉ.	Aéro	Moteurs	United Tech-nologies (É-U)	400
CAE Électronics	QUÉ.	Aéro	Simulateurs	CAE Industries (CAN.)	400
Oerlikon	QUÉ.	Transport Aéro	ADAT	Oerlikon (Suisse)	N.D.
UTDC	ONT.	Transport	Camions	Lavalin (CAN.)	300
McDonnell Douglas	ONT.	Aéro	Composants , éléments de structure	McDonnell (É-U)	275
Garrett MFG.	ONT.	Aéro	I L S, Syst. de contrôle Micro-circuits	Allied Corp. (É-U)	200
Hawker-Siddeley	ONT.	Aéro	Turbines Composants de moteurs	Hawker-S (Grande-B.)	200
Bendix-Avelex	ONT.-QUÉ..	Aéro	Pièces de moteurs Syst. alignement	Allied-Corp. (É-U)	150
CONT.rol Data	ONT.	Électron.	Composants	Control Data (É-U)	N.D.
IVI Inc.	QUÉ.	Munitions	Munitions	SNC (CAN.)	150
Canadian General Electric	ONT.-QUÉ.	Aéro	Pièces de moteurs	GE (É-U)	150
Northern Telecom	ONT.-QUÉ.	Électron.	Composants	Bell CAN.. (CAN.)	N.D.
Spar Aéro	ONT.-QUÉ.	Aéro	Satellites etc.	(CAN.)	120
Deviek	ONT.-N-É	Électron.	Composants divers	(CAN.)	N.D.
Microtel	C-B	Électron.	Telecom.	GTE (É-U)	N.D.
Diemaco	ONT.	Munitions	Armes, munitions	(CAN.)	110
Standard Aéro	MAN.	Aéro	Révision, réparation de moteurs	Avcorp. (CAN.)	110
Chrysler-Can	ONT.	Transport	Moteurs	Chrysler (É-U)	100
Boeing of Canada	ONT.	Aéro	Éléments de structure	Boeing (É-U)	80
Fleet-Aérospace	ONT.	Aéro	Composants	(CAN.)	N.D.

Imp. Group	N-É	Aéro	Révision, réparation	(CAN.)	80
Bell Textron	QUÉ.	Aéro	Hélicoptères Pièces	Bell Textron (É-U)	N.D.
Anachemia	QUÉ.	P. chimiques	Dtect. chimiQUÉ.s	Fielding Corp (CAN.)	N.D.
Rockwell	ONT.	Électron.	Telecom.	Rockwell Int. (É-U)	N.D.
Halifax Darmouth	N-É	Naval	Navires	(CAN.)	N.D.
Victrix	ONT.	Munitions	Missiles	P-Salomon (Bermudes)	N.D.
Computing Devices	ONT.	Électron	Syst. Détection	Com. Dev. (É-U)	N.D.
Honeywell	ONT.	Aéro	Réparation, révision	Honeywell (É-U)	N.D.
Macdonald Dettwiler	C-B	Électron.	Telecom.	(CAN.)	N.D.
Scintrex	ONT.	Électron	Equip. détection	Jolamar (CAN.)	N.D.
Westinghouse	ONT.	Électron	Sonars etc.	West. (É-U)	55
Sperry	ONT.-ALTA	Électron	Logiciels etc..	Unisys (É-U)	50
Philips	ONT.	Électron	Composants divers	Philips NV (P-BAS)	50
Leigh Instruments	ONT.	Électron	Syst. communication	Viatech (CAN.)	50
Expro	QUÉ.	Munitions	Explosifs, poudres	Welland Che Dafina (CAN.)	50
Rolls-Royce	QUÉ.	Aéro	Moteurs	R-Royce (G-Bretagne)	N.D.

Source: GRIMR, compilation de données publiques.

La complexité de la dynamique régionale rattachée au marché de la défense amplifie ce caractère éclaté de l'industrie. La production militaire entretient une relation très ambiguë avec le développement régional. Étant inscrits par définition dans un marché d'État très perméable aux influences politiques, les contrats de défense donnent lieu à de nombreuses pressions de la part des gouvernements provinciaux, ce qui contraint souvent le cabinet fédéral à rechercher un certain équilibre dans la répartition des retombées économiques. Le processus d'octroi des contrats a d'ailleurs été conçu de façon à permettre la prise en compte de certains déséquilibres régionaux. Paradoxalement, le marché militaire touche néanmoins les domaines de l'activité économique qui créent le plus de distorsion au plan régional. Cette contradiction apparente est la résultante de diverses tentatives de la part des instances gouvernementales en vue de réduire la concurrence entre les provinces et de dépolitiser les dossiers. Depuis le milieu des années 70, on a notamment tenté d'amener les régions à se spécialiser, afin de favoriser une gestion plus économique des dépenses de l'État et un dynamisme accru des fabricants canadiens sur les marchés extérieurs.

Selon Lyne Pepall et Daniel Shapiro, bien que les firmes militaires canadiennes se démarquent à plusieurs égards de leurs consoeurs américaines, elles apparaissent suffisamment concentrées et impliquées dans la production de défense pour que puisse être défendue l'idée qu'elles forment un ensemble industriel dominé par les impératifs militaires. Leurs travaux révèlent notamment que 72 % du nombre des contrats militaires et 73 % des sommes d'argent impliquées sont confiés aux 20 plus importants fabricants d'équipement militaire. La propriété de soixante pour cent de ce noyau d'entreprises, font-ils cependant remarquer, est sous contrôle étranger et apparaît fortement tributaire des exportations aux États-Unis[10].

LA STRUCTURE RÉGIONALE DES PRODUCTEURS D'ARMES

La répartition régionale des dépenses militaires suscite de vives critiques au Canada. L'analyse du budget global donne cependant une impression d'équilibre. Ainsi, en 1988-1989, 38,7 % du budget a été dépensé en Ontario, 21,8 % dans les Maritimes, 20 % au Québec et 19,5 % dans l'ouest. Une bonne partie de ces ressources est cependant versée sous forme de salaires ou est consacrée à l'entretien des bases militaires. Lorsqu'on évacue ce type de dépense pour ne retenir que les investissements en équipement, le rapport entre régions apparaît nettement moins équilibré.

Les recherches de John Treddenick indiquent une concentration importante des retombées dans le centre du pays et plus spécifiquement sur le

---

10. Voir Lyne M. Pepall et Daniel M. Shapiro, *The Military-Industrial Complex in Canada*, Ronéotypé, Mai 1988.

territoire ontarien (61 %)[11]. Les tableaux 2-4 et 2-5 confirment cette inégale répartition des retombées de l'industrie militaire . Nos données révèlent en outre une forte concentration des dépenses dans les grandes agglomérations urbaines, où sont notamment regroupés les centres de recherche. À elle seule, par exemple, la région du Toronto métropolitain accapare 63 % des contrats militaires ontariens, ce qui correspond à 37 % de la valeur totale des contrats alloués sur le territoire canadien. La quote-part des provinces maritimes est également élevée, puisqu'elle se situe à 13 %, soit près d'une fois et demie le poids économique global de la région par rapport à l'ensemble canadien.

Tableau 2-4
Répartition des contrats militaires par région 1980-1986

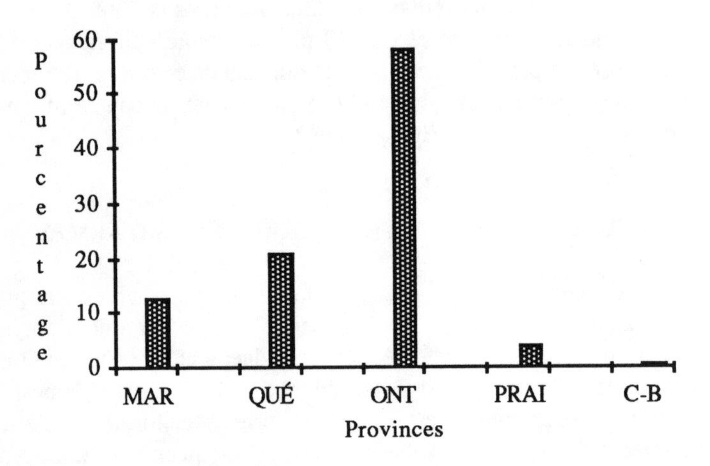

Source: GRIMR, compilation de données publiques.

---

11. John M. Treddenick, "Regional Impacts of Defense Spending", dans Brian McDonald (Ed.), *Guns and Butter: Defense and the Canadian Economy*, Toronto, The Canadian Institute of Strategic Studies, 1984, p. 136.

Tableau 2-5
Répartition régionale des contrats militaires et des subventions du ministère de la Défense nationale 1980-1986: relevé préliminaire (chiffres arrondis)

Régions	Valeur totale des contrats ($) ('000)	(%)
Maritimes[1]	3 200 000	13
Québec	5 400 000	21
Ontario	14 500 000	58
(Toronto métro)[2]	(9 300 000)	(37)
Prairies	1 000 000	4
Colombie britannique	300 000	1
Inconnu	600 000	2
Total	25 000 000	100

(1) Après redistribution du contrat des frégates.
(2) Inclus dans Ontario.
Source: GRIMR, compilation de données publiques.

Le partage interrégional au plan industriel désavantage surtout l'Ouest et le Québec. Le traitement infligé à l'Ouest peut s'expliquer par la faiblesse endémique de son industrie de transformation. L'apport de la région concerne surtout des ressources primaires qui en font un fournisseur pour les usines des autres régions. Les efforts en vue de diversifier l'économie en Alberta et au Manitoba ont d'ailleurs fait grimper le volume de la production militaire au cours des dernières années.

Le cas du Québec, pour sa part, soulève plusieurs questions. La province occupe en effet le deuxième rang des régions manufacturières et plusieurs usines disposent d'une solide expertise militaire. Sa performance peu spectaculaire est souvent présentée par les milieux politiques comme la conséquence de son déficit technologique. Contrairement à l'Ontario, la province n'a pas suivi le rythme de l'évolution technologique des systèmes militaires; une part substantielle des contrats lui est donc inaccessible. Pour notre part, nous pensons que cette situation reflète dans une large mesure les sensibilités particulières des Forces armées. Ces dernières adhèrent à une perception des particularités régionales canadiennes où les préoccupations d'approvisionnement, de sécurité nationale et les relations plus ou moins privilégiées avec les producteurs d'équipement militaire jouent un rôle prépondérant. Il ne fait aucun doute que les mécanismes administratifs et politiques d'octroi des contrats sont fortement influencés par ces considérations d'ordre stratégique et technique. Ainsi la position de force de l'Ontario n'est pas étrangère au fait que le ministère soit implanté dans cette province et que s'y trouve la plupart des filiales des sociétés étrangères à l'origine des principaux systèmes d'armes canadiens. La position privilégiée des Maritimes est pour sa part imputable au rôle stratégique de l'Atlantique Nord, et à la nécessité pour la Défense nationale de maintenir à l'Est des centres aptes à desservir ses unités navales en poste dans la région. Mis à part les bases de Bagotville, de Farnham et de Valcartier, l'unité aéronavale de Saint-Hubert et le centre de recherche de Valcartier, peu d'éléments véritablement stratégiques sont localisés au Québec.

En réponse aux pressions politiques, le gouvernement fédéral a adopté une ligne de conduite qui repose sur le principe du "partage équitable" entre les régions. Depuis l'expérience du F-18, Ottawa inclut d'ailleurs dans les contrats importants des clauses liées à la répartition régionale de la sous-traitance que le maître d'oeuvre est tenu de respecter sous peine de pénalité. Avec les années, les entreprises ont compris les implications de cette façon de faire. Pour maximiser leurs chances de succès, la plupart des soumissionnaires recherchent conséquemment un partenariat qui leur permet de garantir une certaine ventilation interrégionale des retombées. Il y a cependant un coût à cette politique, que Kenneth Dye, le Vérificateur général du Canada, a estimé en 1988 à 58 millions de dollars dans le seul dossier des frégates[12]. Le rappel à l'ordre du vérificateur général a d'ailleurs incité le Cabinet à n'attribuer la construction du second groupe de frégates, dont les travaux s'amorceront au début des années 90, qu'au seul chantier St John Shipbuilding du Nouveau-Brunswick.

Les fonctionnaires fédéraux sont par ailleurs arrivés à la conclusion que la méthode la plus efficace d'échapper à l'emprise des provinces tout en optimisant le rendement des investissement militaires serait de réduire le nombre des foyers de concurrence en amenant chaque région à se spécialiser. Différents efforts ont donc été faits en ce sens et, bien qu'ils soient très inégaux, nous pouvons déjà constater certains résultats.

12. Cité dans Lyne Frechet, "Le big bang technologique", *Commerce*, mai 1988.

LA STRUCTURE SECTORIELLE

Le niveau de la production militaire a évidemment de nombreuses conséquences sur le tissu industriel. En général, plus le marché militaire est étendu, plus l'univers technologique et entrepreneurial tend à se démarquer et à s'isoler de l'économie civile. Le tableau 2-6 indique la répartition des contrats militaires au Canada selon la nature des contrats et la dépendance des principaux secteurs à l'égard des militaires. Une étude minutieuse du profil sectoriel des retombées économiques nous a permis d'identifier trois groupes de secteurs qui donnent lieu à des interactions différentes avec le milieu militaire.

Niveau 1: Au-delà d'un certain seuil, que nous avons identifié à un niveau correspondant à 25-30 % de production militaire, les entreprises ont tendance à établir leurs stratégies commerciales en donnant priorité aux marchés militaires. Il s'agit souvent de fabricants qui, pour diverses raisons, se sont laissés distancer sur les marchés civils. On y retrouvera conséquemment nombre de sociétés peu compétitives, désuètes ou mal gérées, dont la survie est directement redevable à l'accessibilité des programmes militaires. L'industrie électronique militaire, par exemple, est soumise à des normes de contrôle et de sécurité dont la sévérité restreint l'accès. Les entreprises très actives en R-D s'y sont d'ailleurs transformées en forteresses régies par le secret militaire. Les transferts technologiques vers l'industrie civile deviennent alors impraticables, isolant encore plus les fabricants de produits de défense.

Tableau 2-6
Répartition des contrats militaires au Canada selon la nature du contrat et dépendance face à la production militaire, 1980-1986

	Production		Part militaire
	('000$)	(%)	(%)
Aéronautique	5 000 000	20	20
Électronique	3 000 000	12	30
Naval	6 000 000	24	40
Transport roulant	1 500 000	6	2
Munition	2 500 000	10	65
Autres	7 000 000	28	—
TOTAL	25 000 000	100	—

Source: GRIMR, compilation de données publiques.

Niveau 2: Dans le deuxième contingent industriel, la dépendance à l'endroit du secteur militaire est moins prononcée (5-25 %). La plupart des systèmes militaires sont dérivés du marché civil. Il faut préciser cependant que le fait que le Canada ait abandonné la fabrication de systèmes aériens d'attaque réduit singulièrement l'accès des entreprises à la technologie militaire dans l'industrie aérospatiale. Par ailleurs, la prédominance technologique écrasante des États-Unis dans le matériel de transport roulant hypothèque très lourdement la capacité des entreprises locales à prendre pied dans le marché militaire. Dans ces deux industries, les voies d'entrée sont réservées à un nombre très limité d'entreprises. L'évolution récente de certains fabricants nous incite cependant à penser que ce second bloc sectoriel se dirige progressivement vers le palier supérieur. En fait, tout recul dans les systèmes civils, qui sont tous soumis à une vive concurrence internationale (sauf dans l'assemblage automobile protégé par le Pacte de l'auto), risque fort de se traduire par un mouvement de spécialisation dans le militaire.

Niveau 3: Les firmes du troisième niveau font face à une situation objective fort différente. Peu d'entreprises de ce groupe sont spécialisées dans la production militaire et, dans la quasi-totalité des cas, le marché militaire s'inscrit dans le prolongement des marchés civils de l'entreprise. Certaines ignorent même leur contribution à l'économie militaire, tellement le réseau de sous-traitance est complexe. Mais il n'existe pas à proprement parler de dépendance à l'endroit de la production militaire.

LA SPÉCIALISATION DES RÉGIONS

Tous les grands secteurs de production militaire ont été soumis, au cours des dernières années, à diverses pressions en vue de se spécialiser. Au Canada, comme nous l'avons souligné précédemment, les accords du NORAD et du DPSA ont favorisé une certaine intégration des fabricants canadiens aux producteurs américains. Cette dynamique a amené de nombreux producteurs canadiens à se tourner vers la sous-traitance dans des domaines de spécialisation variés.

Le Canada poursuit une politique dont le but est d'améliorer sa performance sur les marchés extérieurs et, dans ce cadre, on incite les entreprises à restreindre l'éventail de leur production pour se concentrer dans des créneaux continentaux ou internationaux où elles bénéficient d'une place avantageuse sur le marché. Néanmoins, dans certains secteurs, la compétition entre les régions demeure vive. Ainsi le Québec , l'Ontario et le Manitoba se livrent une lutte acharnée dans les différents systèmes rattachés à l'aérospatiale et à l'industrie électronique. Les affrontements sont également vifs entre le centre du pays et les Maritimes dans le secteur naval.

Malgré cela, on peut déjà constater plusieurs manifestations de la spécialisation (cf tableau 2-7). Ainsi, le secteur de l'armement apparaît coupé en deux segments indépendants l'un de l'autre. L'Ontario produit 95 % des missiles et le Québec 80 % des munitions de type traditionnel. L'Ontario possède les usines les plus modernes, le Québec, les plus archaïques. Chaque province mise sur des créneaux très pointus en vue de diversifier ses marchés extérieurs. Quand on y regarde de plus près, l'aérospatiale donne également lieu à un partage entre provinces qui a notamment amené au Québec une partie importante de l'industrie aéronautique, alors que l'Ontario a pris le contrôle de pans entiers de l'industrie spatiale en s'appuyant précisément sur les contrats militaires. À un autre niveau, l'industrie navale est en train de se relocaliser dans les provinces côtières de l'Est et de l'Ouest.

Tableau 2-7
Profil de spécialisation des régions
Base 1980-1986

Régions	Industries	Part du militaire %
Maritimes	Construction navale	55
	Entretien en aéronautique	20
Québec	Aéronautique	25
	Construction navale	60
	Système de communication	25
	Munitions	80
Ontario	Aéronautique et aérospatiale	40
	Pièces navales	40
	Mat de transport roulant	5
	Électronique général	30
	Missiles	100
Prairies	Entretien en aéronautique	80
Col. britannique	Construction navale	20

Source: GRIMR, compilation de données publiques.

La spécialisation de la production militaire au sein des régions canadiennes est donc la résultante de plusieurs phénomènes relevant autant de la politique intérieure que de la politique extérieure et dont l'objet premier est de rechercher un plus haut niveau d'intégration au complexe militaro-industriel du bloc occidental. Toutefois, même dans une perspective aussi spécifique, le développement de systèmes de défense demeure fortement tributaire de la maîtrise des technologies militaires. Le Canada a donc également investi dans cette direction.

L'ENJEU TECHNOLOGIQUE

La guerre moderne est d'abord et avant tout une affaire de technologie. L'efficacité des armes dépend dans la plupart des systèmes de son contenu technologique. Sans mécanisme de détection hautement sophistiqué, le système de défense à basse altitude acquis par le Canada au coût de 1,2 milliard de dollars dans le but de protéger ses bases en Allemagne serait inoffensif. Ce ne sont pas les charges explosives logées dans la carcasse, mais les systèmes de guidage de très haute précision qui rendent les missiles contemporains si redoutables. Les frégates de combat que les chantiers canadiens construisent présentement sont de véritables laboratoires technologiques flottants. En fait, la valeur de l'équipement électronique des navires est près de deux fois supérieure au coût de construction des coques.

À quoi peut bien correspondre un tel usage de l'instrumentation électronique? La fonction première des équipements est la communication. Près de la moitié des investissements affectés à l'équipement logistique des armes modernes a pour objet de transmettre et de traiter l'information échangée entre forces au combat et quartiers généraux. Un autre quart est consacré à la détection et le dernier quart touche principalement les systèmes de guidage. Par exemple, les bateaux de guerre modernes abritent un équipement qui, grâce à la détection satellite notamment, permet de connaître l'environnement à des milliers de kilomètres à la ronde. Le Canada et les États-Unis ont conjointement dépensé des milliards de dollars depuis 30 ans simplement pour détecter et observer toute manoeuvre suspecte dans le Nord canadien. On modernise présentement à grand frais la ligne de radar DEW. Selon les prévisions actuelles, au moins deux nouvelles lignes de satellites seront construites d'ici la fin du siècle en vue de compléter ce système de détection. L'investissement dans l'équipement électronique poursuit finalement l'objectif de rendre les armes plus efficaces. La revue *Business Week* révélait il y a quelques années que l'objectif du Pentagone dans le domaine de la guerre électronique est de mettre au point des systèmes fiables à 100 % , en vue de réduire le nombre des pièces d'armement en opération, sans affecter la force de frappe des États-Unis. Des centaines de milliards de dollars ont été consacrés à ce seul objectif par l'administration Reagan[13]. Une part grandissante du volume de la R-D liée au secteur de l'électronique proviendrait des budgets militaires. *Business Week* évalue cette contribution à plus de 50 %.

Au plan global, les chiffres publiés par le rapport Thorson, déposé en Suède il y a quelques années indiquent que les fonds affectés à la R-D militaire au plan international se chiffrent à 50 milliards de dollars par année et emploient 500 000 scientifiques[14]. Vingt-deux pays sont à l'origine de 50 % de cette activité. Le Canada fait partie du nombre. D'après différentes estimations, au moins 40 % de la R-D industrielle est versée à l'effort militaire, et la recherche militaire obtient à elle seule près de 60 % des subventions gouvernementales en R-D[15].

Selon une évaluation du ministère des Approvisionnements et services Canada, la recherche militaire repose sur une centaine d'entreprises, dont plus de 50 % sont des filiales de sociétés américaines. Entre 1980 et 1985, ces entreprises se sont partagées une valeur globale de 2,3 milliards de dollars en contrats militaires. Nous devons cependant préciser que cette somme ne concerne que la partie des contrats militaires directement affectée à l'achat de nouveaux équipements électroniques. Elle ne comptabilise pas les sous-contrats rattachés aux systèmes des autres secteurs industriels comme les frégates ou les F-18. L'addition du contenu électronique des grands programmes porte la somme totale à plus de 5 milliards de dollars.

La nature particulière des contrats militaires confère aux entreprises actives dans ce marché un profil différent de celles du secteur civil. La dynamique du marché a incité les producteurs canadiens à s'y spécialiser dans des créneaux si pointus que, lorsque se présente un contrat militaire, il est rare que la concurrence s'étende à plus de trois ou quatre fournisseurs. Le Canada compte même quelques cas de monopoles. Ainsi CAE Electronics est la seule société canadienne capable de construire des simulateurs de vol, et Canadian Marconi est la seule entreprise à fabriquer des systèmes de communication aéroportés.

---

13. "Guns vs Butter", *Business Week*, 29 novembre 1982.
14. Rapport Thorsen.
15. Voir entre autres Gilles Provost, "Des canons made in Québec, l'aide à la recherche est avant tout militaire", dans *Le Devoir*, 11 juin 1980.

On semble donc, au Canada, rechercher les investissements militaires pour dynamiser un secteur de la recherche industrielle qui est lui même condamné à l'isolement. En fait, il semble de plus en plus que l'économie militaire n'a d'impact permanent qu'au seul niveau de sa propre reproduction. La production militaire engendre la production militaire...

Le profil de l'économie militaire canadienne semble donc soulever plus de problèmes qu'il n'amène de solutions au développement industriel national. En fait, la politique d'attribution des contrats qui y est mise en pratique de façon plus ou moins avouée prend le contrepied de la politique civile dans plusieurs domaines. Ainsi, la distribution très inéquitable des retombées militaires au plan régional a pour effet d'annuler une grande partie des efforts menés dans le cadre des programmes civils. Au lieu de consolider le "leadership" canadien dans les créneaux industriels stratégiques, l'armement pousse les entreprises vers la sous-traitance. La politique industrielle militaire impose des choix en matière de développement qui sont par la suite difficiles à contrer. Finalement, cette politique favorise l'isolement des fabricants sur lesquels elle s'appuie. Un nombre croissant de grands fabricants a délaissé la production civile pour la sécurité apparente du marché militaire et, ce faisant, a formé l'embryon du nouveau complexe militaro-industriel national. Isolement technologique, développement sectoriel déséquilibré, inéquités régionales, dépendance croissante face aux États-Unis, voilà le prix que doit payer l'économie canadienne pour sa militarisation des dernières années.

CHAPITRE 3
L'INDUSTRIE DE LA DÉFENSE AU QUÉBEC

Le Québec a obtenu entre 1980 et 1986 environ 5,4 milliards de dollars en contrats de défense, ce qui correspond à 21 % de la valeur totale des budgets dépensés dans ce domaine au Canada. En présumant que la ventilation régionale soit demeurée la même, une somme d'au moins 3,5 milliards est venue s'ajouter en 1987-1988, ce qui porte le grand total de son marché de la défense à 8,9 milliards depuis le début de la décennie. Cette somme nous permet d'estimer la contribution de l'industrie militaire à un peu moins de 2 % du PIB provincial et à environ 6 % de la valeur de la production manufacturière. Au chapitre de l'emploi, nous estimons à environ 40 000 le nombre d'emplois directs redevables à l'industrie de la défense (année 1985), ce qui équivaut à un peu moins de 8 % de la main-d'oeuvre manufacturière. L'ensemble des activités de production militaire serait donc à peu de choses près équivalente à celle de l'industrie du papier.

Le secteur est considéré par le gouvernement québécois comme un domaine stratégique pour le développement économique futur. On pourrait être tenté, comme le fait précisément ce gouvernement, de réclamer la "juste part" du Québec, sans s'interroger plus avant sur les conséquences d'une militarisation accrue de l'industrie provinciale. Il est vrai, en effet, que le Québec ne retire pas des budgets de défense les fonds correspondant ni à son poids démographique, ni à son importance économique. Ce n'est pas 8,9, mais au moins 11 milliards que la province aurait dû toucher depuis 1980. On peut aisément présumer que l'ajout de 2 milliards de dollars aurait amené l'implantation de nouvelles usines et la création de nouveaux emplois. De plus, les entreprises auraient probablement hérité d'un rôle moins secondaire en ce qui a trait à la maîtrise d'oeuvre des systèmes militaires, ce qui se serait vraisemblablement traduit par une croissance des dépenses en R-D. Néanmoins, comme nous le démontrons dans les sections qui suivent, le développement de l'industrie militaire comporte plus d'inconvénients et de dangers que d'avantages. En effet, la progression spectaculaire des dépenses militaires a donné lieu à l'émergence d'une industrie dont l'avenir est menacé précisément à cause de sa dépendance croissante à l'endroit des contrats de défense.

LA CROISSANCE DES CONTRATS MILITAIRES

Dans un document destiné à la promotion de l'industrie de la défense québécoise auprès de fabricants européens, le ministère québécois de l'Industrie et du Commerce faisait récemment état de l'intérêt grandissant des producteurs pour le marché de la défense. Selon l'étude, la valeur totale de la production militaire québécoise, incluant les ventes réalisées sur le marché national et les exportations, atteignait 2 milliards de dollars en 1986 comparativement à 600 millions en 1980, reflétant ainsi une progression de 200 % en seulement 7 ans (cf. tableau 3-1)[1].

Ces chiffres permettent de constater l'impact déterminant de la relance de la production au niveau du marché intérieur. Avant 1986, bon an mal an, les exportations représentaient environ 50 % de l'ensemble de la production québécoise. En 1986, leur contribution est tombée à 30 %. En fait, les exportations ont décliné de près de 100 millions de dollars de 1984 à 1986, passant d'environ 700 millions à 600 millions.

Le niveau élevé des budgets d'acquisition de matériel militaire du gouvernement fédéral qui a prévalu au cours de la période récente, et la performance plutôt exceptionnelle des fabricants de la province dans les programmes les plus importants, nous permettent de présumer que la progression s'est poursuivie sur le marché national au cours des dernières années. On peut estimer à un minimum de 2 milliards de dollars la valeur des projets confiés à des entreprises québécoises par le gouvernement canadien en 1988, somme à laquelle il y a lieu d'ajouter des exportations d'environ 900 millions, pour un grand total de 2,9 milliards de ventes. Tout comme le Canada, malgré le fait qu'il fasse plutôt mauvaise figure sur le plan de la répartition interprovinciale des contrats, le Québec militarise donc son

---

1 Ces chiffres font état de l'ensemble des contrats attribués à des entreprises québécoises, sans tenir compte de la part des travaux exécutés hors du Québec, ce qui explique l'écart entre ces données et nos propres relevés.

économie. Le tableau 3-2 indique la répartition de la production militaire québécoise entre les principaux secteurs.

Tableau 3-1
Évolution du marché de maîtrise d'oeuvre militaire québécoise

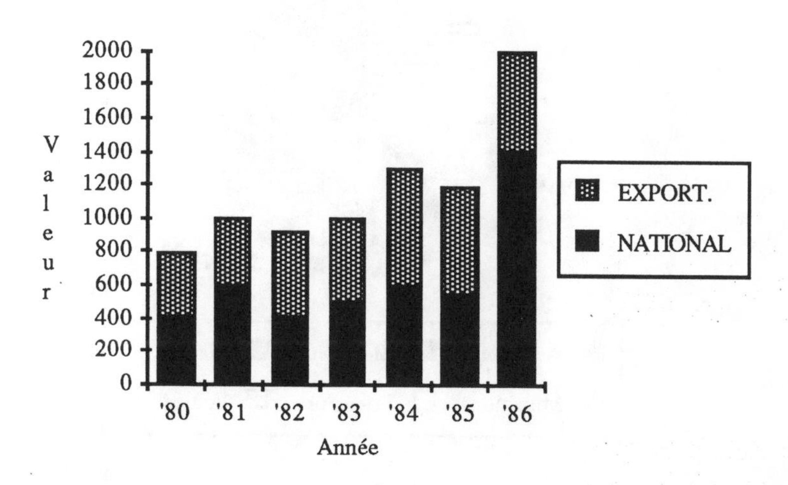

L'INTÉRET DU GOUVERNEMENT QUÉBÉCOIS

La croissance du marché de la défense a évidemment alimenté l'intérêt du gouvernement québécois. En fait, la perspective de recueillir une partie des emplois liés aux grands projets militaires est devenue la justification d'une nouvelle stratégie économique centrée sur la promotion des centres de production militaire. Pour le gouvernement québécois, le secteur militaire est également apparu comme un instrument de développement peu couteux, puisqu'il est essentiellement financé par le gouvernement fédéral. Quelques projets impliquant l'implantation de nouvelles usines ont obtenu un apport plus tangible de Québec, mais dans la majorité des dossiers, la contribution de l'administration provinciale s'est avérée plutôt symbolique. Pour l'administration gouvernementale québécoise, le militaire présente les apparences d'un instrument de développement bon marché.

Tableau 3-2
Répartition de la production entre les principaux secteurs, Québec, 1980-1986

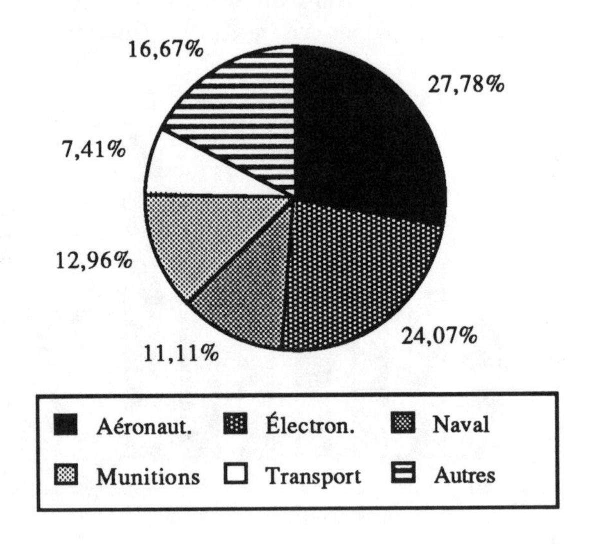

Dans le but de consolider son industrie de défense, Québec a mis sur pied, en 1987, un groupe de fonctionnaires spécifiquement chargé d'étudier l'évolution du marché militaire. Ce groupe s'est fixé pour objectif à court terme de circonscrire une stratégie en vue d'amener dans la province une part accrue des grands projets, et s'est donné pour mission à plus long terme d'étudier l'ensemble de la problématique de la production militaire dans la perspective d'encourager l'implantation de nouvelles usines. Québec a par ailleurs embauché un lobbyiste chargé de surveiller l'évolution des marchés publics fédéraux et plus spécifiquement les projets militaires. Cette personne a également obtenu le mandat de faciliter la prise de contact entre les gestionnaires des grands projets et les entrepreneurs du Québec.

La stratégie militaire provinciale s'est également déployée du côté de la recherche et du développement avec la tenue d'un sommet sur la R-D à l'automne 1988. Précisons que, dans ce domaine, selon les industriels, le Québec s'est laissé distancer par l'Ontario. La province voisine dispose en effet d'une batterie de programmes beaucoup plus élaborée que celle du Québec (cf. chapitre 6). Elle a d'ailleurs réussi à attirer une part plus substantielle des fonds fédéraux en utilisant ses propres outils comme levier. Or, la défense est, comme par hasard, le seul domaine du financement en R-D où le Québec fait bonne figure. En 1986-1987, ce secteur était le seul où il a obtenu une part des dépenses fédérales supérieure à son poids relatif au sein de la fédération canadienne. Le secteur militaire a donc tout naturellement été identifié comme un des principaux tremplins de l'industrie québécoise.

La stratégie gouvernementale repose sur un phénomène extrêmement préoccupant. Le Québec se militarise, non pas parce qu'il considère le secteur militaire comme un instrument apte à supporter sa politique économique, mais il le fait parce que ce champ d'activité est un des seuls où il est en mesure de tirer avantage des programmes fédéraux. Ce choix découle conséquemment d'une évolution inéquitable du fédéralisme économique canadien qui n'offre finalement à la province que de rares secteurs pour relancer son industrie, où le militaire figure en bonne place. Étant donné qu'elle ne retire des contrats militaires qu'une part très inférieure à ce que représente actuellement son économie face au reste du Canada, cette dernière est donc condamnée au déclin. La militarisation de l'économie québécoise n'est pas un signe de santé au plan économique, non plus qu'elle n'est la manifestation d'une quelconque générosité du régime canadien, elle n'est qu'un signe de la décadence de l'économie provinciale. Qui plus est, le gouvernement québécois lui-même accentue le problème en se faisant le promoteur de cette militarisation. Le plus triste de l'affaire c'est qu'en agissant de cette manière, le gouvernement québécois mine les fondements de sa propre politique économique: il se place en position encore plus dépendante face au gouvernement fédéral et il annule certains effets positifs de sa propre politique économique.

LA TECHNOLOGIE ET LES RÉGIONS, DEUX ENJEUX AUXQUELS LE DÉVELOPPEMENT MILITAIRE A BEAUCOUP DE DIFFICULTÉ À S'ADAPTER

Avec la question du développement régional, le thème du renouveau technologique figure au sommet de la liste des priorités économiques du gouvernement québécois. En 1981, ce dernier déposait en effet un document d'orientation qui proposait explicitement de reconstruire les économies régionales en les amenant à participer activement à la modernisation technologique de l'infrastructure industrielle de la province[2]. L'option régionale a par la suite été confirmée par l'adoption d'un projet de réforme destiné à la consolidation des assises politiques et économiques de chaque région, et d'un plan d'action qui interpelle la capacité des régions à prendre en charge une activité économique fondée sur l'innovation, l'entrepreneurship et les créneaux d'excellence[3]. Il nous apparaît donc pertinent de nous interroger sur l'influence de l'industrie de la défense sur ces deux priorités.

En ce qui concerne le développement régional, notre analyse de la ventilation des contrats indique que l'économie militaire soulève plus de problèmes qu'elle n'apporte de solutions. En fait, elle donne plutôt l'impression d'alimenter les disparités infra-provinciales. Ainsi, au Québec, au lieu de contribuer à combler le fossé économique entre Montréal et les autres régions, les contrats militaires l'ont creusé davantage. La répartition des contrats attribués aux firmes du Québec entre 1980 et 1985 indique que 76 % des contrats et 80 % des budgets sont en effet acheminés vers la métropole (voir tableau 3-3). La région de Montréal abrite d'ailleurs la majorité (8/11) des grands maîtres d'oeuvres situés au Québec.

Tableau 3-3
Répartition régionale des contrats et budgets militaires attribués au Québec en pourcentage, 1980-1986

Région	Part des contrats	Part des budgets
Montréal	76	80
Québec	12	5
Cantons de l'Est	4	12
Laurentides	1	2
Lac Saint-Jean	4	—
Autres	3	1

Source: GRIMR, compilation de données publiques.

Parmi les autres régions, seuls les Cantons de l'est et la région de Québec sont dignes de mention. La production des Cantons de l'est repose sur l'usine Bombardier de Valcourt, celle de Oerlikon localisée à Saint-Jean, et quelques entreprises du secteur électronique dans les parcs industriels de

2. Gouvernement du Québec, *Bâtir le Québec, Phase 2*, Québec,1981.
3. Gouvernement du Québec, *Le choix des régions*, Québec,1984.

Bromont et de Sherbrooke. L'activité de la région de Québec se limite pour sa part à l'arsenal des Industries Valcartier (IVI) et au chantier naval Davie localisé à Lauzon. Les activités de production réalisées hors de la région métropolitaine revêtent un caractère si éclaté et marginal qu'il serait abusif de les associer à un quelconque dynamisme régional. Le dossier militaire est d'abord et avant tout un dossier montréalais. Il faut d'ailleurs reconnaître que la métropole tire certains bénéfices de son industrie de la défense. Sa base industrielle contribue dans certains secteurs comme l'aérospatiale et l'électronique à son rayonnement sur les marchés extérieurs. Parallèlement, toutefois, Montréal doit supporter certaines industries en déclin comme la construction navale et les munitions. En fait, on peut observer un apport potentiellement positif, là où les systèmes militaires s'inscrivent dans le prolongement de l'industrie civile. Ailleurs, la situation est beaucoup moins reluisante.

Plusieurs entreprises font le pari à long terme que l'industrie de l'armement leur permettra de tirer avantage de l'intégration continentale, tout en continuant de jouir d'une certaine protection au niveau du marché national. Il est vrai que les fabricants ont tiré bénéfice de la croissance des dépenses du ministère de la Défense. Les niveaux de contenu canadien exigés par le Canada leur ont permis jusqu'à maintenant de recueillir une part substantielle des retombées économiques et de jouer un rôle de premier plan dans l'exécution de certains contrats. Mais il faudrait être naïf pour croire que cela favorise l'accroissement de la contribution technologique du Québec au développement de l'industrie militaire continentale. Le Québec ne deviendra jamais un acteur de premier plan en ce qui a trait à la recherche et au développement des technologies militaires. Le caractère limité des budgets attribués à la R-D militaire et la nature même du système économique canadien sont des contraintes fort lourdes qui limitent la capacité de concurrencer les États américains, voire même l'Ontario. On fait donc fausse route en misant sur des centres militaires comme Oerlikon ou Paramax pour relancer la recherche industrielle.

La piètre performance du Québec dans les activités de R-D est d'ailleurs en grande partie imputable au secteur militaire. Sauf peut-être dans le secteur aérospatial, où les projets de la défense s'inscrivent plus directement dans l'optique des programmes civils, la recherche militaire n'a somme toute qu'une influence minime sur le développement de l'industrie civile. Il a été démontré à de nombreuses reprises que les retombées inhérentes aux programmes pilotés dans une optique de défense ont toujours un impact sur l'industrie civile très inférieur à celui des programmes d'investissements planifiés au départ pour répondre aux attentes des marchés civils.

N'oublions pas, non plus, que les projets militaires qui ont impliqué un haut niveau de contenu technologique ont suscité de très vives convoitises de la part de l'ensemble des provinces. La grande visibilité de ces projets a donné l'impression aux électeurs de plusieurs provinces que le Québec a eu droit à un traitement de privilège de la part du gouvernement fédéral, contribuant même, à certains endroits, à alimenter un ressentiment anti-Québec. On peut ainsi affirmer que la bonne performance relative de la province par rapport à certains programmes militaires a miné sa capacité d'attirer des investissements associés aux autres programmes gouvernementaux. De plus, le choix de foncer tête baissée dans les programmes militaires a mobilisé des ressources qui n'ont pu être mises à contribution dans l'industrie civile, ce qui a contribué à saper la capacité de l'économie de retirer tout le potentiel des budgets dépensés.

L'impact du militaire sur le développement régional et la promotion de la R-D est donc globalement négatif. Il est difficile de croire que le gouvernement québécois ignore cette situation. Trop de dossiers récents, sur lesquels nous revenons dans les prochains chapitres, mettent en évidence les limites de l'industrie militaire. Pourtant la stratégie de militarisation se poursuit contre vents et marées, au point d'apparaître carrément irresponsable. Il faut souhaiter que cette attitude à courte vue soit revisée avant que ne s'accentue le repli du budget de la défense.

LE COMPLEXE MILITARO-INDUSTRIEL QUÉBÉCOIS

Une dizaine de milliers d'entreprises du Québec figurent sur la liste des fournisseurs du ministère de la Défense. Parmi celles-ci, environ 650 ont obtenu directement au moins un contrat entre 1980 et 1986. Ces entreprises évoluent évidemment dans tous les secteurs de l'économie, de sorte qu'il est difficile, à première vue, de brosser un tableau précis de leurs activités. Dans le but de mieux cerner le profil de la production, nous avons concentré notre effort de recherche du côté de la ventilation sectorielle des contrats. Ce travail démontre que plus de 50 % des contrats impliquant au-delà de 80 % de la valeur totale des budgets étaient concentrés dans les cinq secteurs des munitions, de l'aérospatiale, de l'électronique, de la construction navale, des munitions et du transport roulant. Cette recherche nous a aussi montré que le niveau de la dépendance de ces différentes branches de l'activité économique à l'endroit du militaire était dans l'ensemble plus élevé au Québec qu'ailleurs au Canada. Qui plus est, comme nous pouvons le constater au tableau 3-4, la production de trois de ces secteurs est dépendante à plus de 30 % de la fabrication d'équipement militaire, seuil qui, rappelons-le, peut être considéré comme le point critique au-delà duquel les activités de production militaire tendent à s'isoler des circuits de production civile. Nous verrons d'ailleurs que la plupart des entreprises qui assument le leadership de ces industries s'intéressent de moins en moins au marché civil.

Tableau 3-4
Dépendance des secteurs québécois à l'endroit du militaire, en pourcentage, 1980-1986

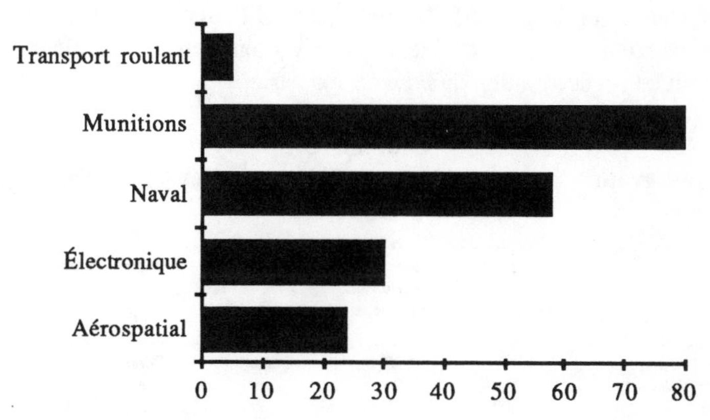

Une analyse plus attentive de la structure de production permet de constater une grande diversité dans le niveau des fabricants québécois d'équipement de défense. Certaines sociétés assument les travaux de conception, d'autres fournissent des matériaux bruts ou semi-finis, quelques-unes exécutent des travaux d'assemblage, pendant que les dernières agissent comme conseiller auprès des décideurs de l'industrie. Dans le but de permettre une meilleure compréhension du profil propre à la production militaire québécoise, nous consacrons la présente section à une description générale de ce qu'il est maintenant convenu d'appeler le complexe militaro-industriel québécois. Avant d'aller plus loin, signalons que les fabricants de l'industrie militaire sont divisés en trois groupes: les maîtres-d'oeuvre, les fabricants de sous-systèmes et les sous-traitants. Analysons plus en détail le profil de chacune de ces catégories.

Les maîtres d'oeuvre

Au Québec, peu d'entreprises exécutent la maîtrise d'oeuvre de systèmes d'armement. Au tableau 3-5, nous avons identifié 11 groupes ou entreprises dont les responsabilités dans le réseau de fabrication des équipements militaires s'apparentent à la maîtrise-d'oeuvre. Néanmoins, collectivement, elles contrôlent plus de 90 % des budgets militaires assignés à la fabrication d'armes. Il n'est donc pas exagéré d'affirmer qu'elles assument un rôle primordial au sein du réseau de production provincial. Leur pouvoir incontestable sur le marché démontre, par ailleurs, que les producteurs québécois n'ont rien à envier à leurs vis-à-vis ontariens ou américains en ce qui a trait à la concentration du pouvoir industriel.

Tableau 3-5
Les grands acteurs de l'industrie de défense du Québec, 1980-1986

Entreprises	Valeur des contrats ('000,000 $)	Part du militaire dans l'entreprise	Contrôle	Principaux systèmes
Groupe Bombardier	1 000	20	Qué.	Gérance de syst.
(Usine de Valcourt)	500	20		Iltis, camions, motos, etc
(Canadair)	500	20		CL-601, Cl-227, CL289
Marconi	750	70	G.-Bretagne	Mat. de communications
Groupe SNC	670	45	Qué.	Gérance de syst.
(Arsenaux canadiens)	500	92		Munitions gros calibre
(IVI)	150	70		Munitions petit calibre
(Securiplex)	10	N.D.		Syst. de sécurité
Paramax	650	100	É.U.	Gérance de syst.
Groupe Marine	480	60	Qué.	Frégates, syst. de commande Gérance de syst. Coques de bateaux
CAE	400	50	Can.	Simulateurs
Pratt & Whitney	400	10	É.U.	Gérance de syst. Moteurs
Oerlikon	récent	100	Suisse	Gérance de syst.
Lavalin/UTDC	300	N.D.	Qué.	Gérance de syst. Camions lourds
Spar Aerospace	120	35	Can.	Satellites
Bell Hélico	60	N.D.	É.U.	EH 101, Bell 212

Source: GRIMR, compilation de données publiques.

À quelques rares exceptions près, l'intérêt pour le marché militaire est chose récente pour ce noyau de grands fabricants. Au moins six groupes sont implantés dans l'armement depuis moins de dix ans. Dans trois cas, soit Bombardier, SNC et Lavalin, la fabrication d'armes s'est manifestée à la suite de la privatisation de sociétés d'État. Les autres entreprises sont de nouveaux arrivants attirés par les contrats de la défense canadienne (Paramax, Oerlikon, Bell Hélicoptère). On notera qu'il s'agit dans ces derniers cas de filiales de sociétés étrangères. Cela fait en sorte que nous sommes aujourd'hui face à un complexe militaro-industriel dont l'origine est en grande partie imputable à la reprise des investissements de la Défense. Le gouvernement canadien a en effet fait le choix , lorsqu'a été prise la décision de moderniser son arsenal, de maximiser les retombées économiques au plan national. La politique canadienne a donc créé un pôle industriel important du Québec. De nouvelles attentes et de nouveaux besoins ont été créés dans plusieurs entreprises, contribuant ainsi à lier leur avenir et donc une partie de celui de l'industrie québécoise à l'économie militaire.

Plusieurs grandes entreprises sont sous contrôle canadien (Bombardier, SNC, Marine, Lavalin, CAE et SPAR), ce qui nous incite à penser que le complexe québécois est peut être moins dépendant des réseaux de production américains que ne l'est par exemple le complexe ontarien. Cette impression est d'ailleurs renforcée par le statut un peu particulier des filiales étrangères implantées au Québec. À l'invitation du gouvernement, les maisons mères de ces entreprises ont en effet consenti à attribuer une marge d'autonomie peu commune à leurs succursales canadiennes. Les quatre filiales disposent de mandats mondiaux qui leur permettent de commercialiser leurs produits à l'échelle internationale et de réaliser leur propre recherche technologique. En outre, dans au moins un cas (Paramax), des engagements formels ont été pris dans le but de canadianiser l'entreprise d'ici quelques années.

Le complexe québécois jouit donc face aux américains d'une autonomie proportionnellement plus importante le complexe canadien. Cette situation un peu étonnante peut être considérée comme le résultat de la convergence de différents facteurs. Parmi ceux-ci mentionnons une certaine tradition nationaliste encouragée pendant de nombreuses années par les gouvernements provincial et fédéral à laquelle plusieurs entreprises québécoises se sont montrées sensibles, et dont l'objet était de favoriser un plus grand contrôle entrepreneurial de la part des milieux d'affaires locaux. Parallèlement, le hasard a voulu que l'industrie québécoise investisse les créneaux de l'industrie de la défense les plus protégés au plan national, y compris l'aéronautique, la fabrication de munitions et la construction d'équipement de transport roulant.

La maîtrise d'oeuvre québécoise souffre cependant de failles très réelles en ce qui concerne la recherche et le développement. Peu d'entreprises fabriquent des systèmes proprement québécois ou canadiens, et il s'agit dans tous les cas d'engins très spécialisés liés aux domaines des communications et de la détection. La plus grande partie de la production québécoise est le résultat de l'acquisition de technologies étrangères. Dans ce sens, c'est un peu le "modèle Bombardier" qui prévaut. Cette entreprise a basé sa stratégie de croissance sur l'achat et l'adaptation de technologies ayant déjà fait leur preuves. Dans le domaine militaire, elle a notamment repris à son compte la production d'un véhicule tout terrain autrefois fabriqué par Volkswagen, et d'un camion léger de General Motors.

Les efforts des grands fabricants québécois en ce qui a trait à la R-D sont presque exclusivement dirigés vers le secteur de l'aérospatiale. Plus spécifiquement, il s'agit des moteurs fabriqués par Pratt & Whitney, des simulateurs de CAE , des avions de détection de Canadair et des satellites de SPAR. Il faut souligner que cette base technologique est très étroite et que, malheureusement, elle devient de plus en plus un pôle d'attraction au sein du complexe industriel québécois. Récemment, plusieurs entreprises engagées dans d'autres secteurs ont tenté d'y prendre pied. Cet intérêt marqué pour l'aéronautique découle notamment des craintes entretenues par différentes directions d'entreprises à l'endroit du libre échange et de la réforme de la politique d'approvisionnement du gouvernement canadien.

Cette convergence d'intérêts a favorisé un certain rapprochement au sein des maîtres d'oeuvre québécois. Dernièrement, CAE s'est associée à Canadair pour l'obtention du contrat d'entretien des F-18. CAE a également accepté de participer au projet de défense à basse altitude piloté par Oerlikon. Il ne faudrait cependant pas en déduire qu'il n'y a pas de concurrence au sein du groupe. L'étude des soumissions déposées au cours des cinq dernières années nous permet de conclure à la présence d'au moins cinq grands compétiteurs. Il s'agit du groupe Bombardier, de Paramax, d'Oerlikon, de Lavalin, et du groupe SNC. Les entreprises de ce "noyau dur" du complexe québécois ont pour caractéristiques communes d'être capables de gérer des systèmes militaires complets dans plusieurs secteurs différents.

LES MAÎTRES D'OEUVRE QUÉBÉCOIS

MARCONI: Principal fabricant canadien d'appareils de télécommunications pour les forces armées, Marconi tente depuis quelques années de percer le secteur aérospatial. Il s'agit d'un des principaux exportateurs canadiens de matériel militaire.

BOMBARDIER: La décision d'Ottawa d'attribuer le contrat des camions de 8 1/2 tonnes à UTDC (filiale ontarienne de Lavalin) a déçu Bombardier. Cette dernière comptait sur ce contrat pour relancer sa production militaire en perte de vitesse dans le secteur du matériel de transport roulant. Par ailleurs, Bombardier poursuit depuis quelques années l'objectif de réaliser entre 20 % et 25 % de son chiffre d'affaires dans le secteur de la défense. L'entreprise s'est donc tournée vers d'autres fabricants. Il y a quelques années, elle s'est portée acquéreur de Canadair dont le rôle déterminant au sein du complexe militaire québécois n'a plus à être démontré. Parallèlement, elle a tenté sans succès d'acheter CAE et se proposait dernièrement de prendre une participation dans le groupe SNC. Cette série de tractations démontre que Bombardier a l'intention de demeurer solidement enraciné à l'industrie de défense. Les ambitions de Bombardier semblent d'ailleurs illimitées. En effet, elle a récemment acheté Short Brothers, un des plus importants fabricants d'équipement de défense d'Irlande. Elle pourrait bien devenir la première entreprise québécoise à se tailler une place au sein du petit cercle fermé des grands fabricants d'armes du bloc occidental.

PARAMAX: La nouvelle filiale du groupe américain Unisys a de grands projets. Depuis son arrivée, elle soumissionne de façon systématique sur tous les contrats militaires d'envergure. Etant un des rares intégrateurs de systèmes à opérer au Canada, Paramax occupe en cela une position privilégiée et elle est sans aucun doute la principale compétitrice de Bombardier.

SNC: SNC a réalisé sa première acquisition dans l'industrie de défense (IVI) au début des années 80, au moment où le secteur de la construction s'est effondré. La société d'ingénierie affirmait déjà à l'époque rechercher une plus grande implication dans la fabrication en vue de diversifier ses opérations. Quelques années plus tard, elle achetait Sécuriplex et Les Arsenaux canadiens. Depuis que le ministère de la Défense a indiqué son intention de réduire ses achats de munitions, SNC est cependant en difficulté. Le groupe espère rentabiliser ses opérations en augmentant ses ventes à l'étranger, mais cette stratégie est sans espoir.

GROUPE MARINE: Marine Industrie a acheté en 1987 les chantiers Vickers/ Montréal et Davie/Lauzon qui sont ainsi venus se joindre à l'usine de Sorel. La mission des trois chantiers a par la suite été réorganisée de façon à concentrer les activités de construction navale à la Davie. C'est donc cette dernière qui a hérité du contrat de fabrication des coques de frégates. Si le programme des sous-marins est relancé sur la base d'une technologie diésel, Marine pourrait bien devenir un des principaux exécutants du contrat.

OERLIKON: La société Oerlikon est probablement le marchand d'armes le moins scrupuleux du Québec. L'entreprise, dont l'implantation a été fort controversée, est en effet la filiale d'un des plus importants fabricants de canons européens soit la société suisse Oerlikon-Burhle. Cette dernière ne s'est intéressée au Canada et au Québec que dans la mesure où s'ouvrait devant elle un nouveau marché militaire. Elle semble avoir atteint son but puisqu'elle a obtenu, en participation avec le groupe Martin Marietta, le contrat du Forward Area Air Defense auprès de l'armée américaine.

LAVALIN: Nous avons longuement hésité avant d'intégrer Lavalin au complexe militaire québécois. En fait, l'essentiel de l'activité militaire de la société d'ingénierie ne relevait jusqu'à dernièrement que de sa seule filiale UTDC, une ancienne société d'État ontarienne privatisée. Mais Lavalin s'est lancée officiellement dans la course aux contrats militaires, et recherche activement des créneaux technologiques où elle pourrait s'enraciner. Si le dynamisme de cette entreprise à succès est un gage pour l'avenir, il y a fort à parier qu'elle deviendra sous peu un acteur de premier plan au sein de l'industrie militaire québécoise.

CAE: Cette entreprise est bien connue pour les simulateurs de vol qu'elle vend à l'occasion aux forces armées, sa contribution au bras spatial canadien, et ses nouvelles responsabilités dans l'entretien des avions de chasse F-18. On connaît moins sa contribution à la fabrication d'une foule de composants électroniques et ses appareils de détection magnétique. La direction de l'entreprise déplore néanmoins le fait qu'elle éprouve de grandes difficultés à s'imposer sur le marché de la défense nord-américain. C'est pour cette raison qu'elle a récemment fait l'acquisition de Cincinnati Electronics, une entreprise américaine qui possède de solides entrées auprès de l'armée américaine.

BELL HELICOPTERE: La filiale de la société américaine Bell-Textron se cherche une mission. Au départ, elle devait assumer l'assemblage d'un modèle d'hélicoptères qui a été abandonné depuis. Elle s'est donc tournée vers d'autres projets, et c'est à ce moment qu'elle a compris l'intérêt du marché de la défense canadien. Bell participe au programme des hélicoptères EH 101 et a de bonnes chances de décrocher le contrat des hélicoptères légers avec son modèle 212. L'entreprise est cependant dans une situation un peu délicate. Lors de la réorganisation des activités du groupe en Amérique du nord, l'exclusivité de la commercialisation des modèles militaires a été confiée à l'usine américaine.

SPAR AEROSPACE:	L'usine SPAR de Sainte-Anne-de-Bellevue n'est qu'une des composantes d'un complexe industriel plus étendu dont l'essentiel des activités liées à la production d'équipement de défense est localisé en Ontario. L'usine québécoise demeure néanmoins le principal artisan de l'industrie spatiale provinciale et a réalisé ou collaboré à la fabrication de plusieurs satellites militaires.
PRATT& WHITNEY:	Cette entreprise fabrique ce qu'il est convenu d'appeler des sous-systèmes, soit en l'occurrence des moteurs d'aéronefs dont certains modèles sont utilisés sur des avions militaires. Elle a en outre fait la preuve de son intérêt pour la gestion de grands programmes militaires il y quelques années, dans le cadre du programme de remplacement des avions de chasse. Rappelons en effet que Pratt était la principale tête de pont du projet du chasseur F-16 auquel le ministère de la Défense a préféré le F-18. Avec ses quelque 8 000 employés, la société est un des éléments clés de l'industrie aéronautique québécoise.

Les fabricants de sous-systèmes

Le profil des fabricants de sous-systèmes diffère sur plusieurs points de celui des maîtres d'oeuvre. La plupart de la cinquantaine d'entreprises identifiées à ce groupe étant spécialisées dans des créneaux industriels parfois étroits, la dynamique du marché est tout autre. Pour survivre, la plupart des entreprises doivent notamment exporter une part importante de leur production, ce qui, indirectement, encourage la spécialisation. Par ailleurs, la proportion des sites de production sous contrôle étranger est également plus élevée. Environ la moitié des firmes appartient à des capitaux étrangers, américains dans la plupart des cas. L'image évoquée plus haut de la dépendance face à l'industrie américaine correspond donc à la réalité de ce groupe de producteurs. Il faut cependant se méfier des généralités trop hâtives. Analysons de plus près sa dynamique de marché.

Tableau 3-6
Les principaux fabricants québécois de sous-systèmes militaires, 1980-1986

Entreprises	Part du militaire (5)	Contrôle	Principaux systèmes
Bendix Avelex	80	É.U.	Pièces de moteurs Syst. d'alignement de tir Électro-optique etc.
Matrox	élevée		Logiciels de formation, équipement électronique
CGE	élevée	É.U.	Logiciels de formation
Héroux	70	Qué.	Trains d'atterrissage Systèmes hydrauliques
Anachemia	élevée	Can.	Détection guerre chimique
Rolls Royce	élevée	G.-Bretagne	Révision et remise à neuf, moteurs
Robert Mitchell	N.D.	Can.	Matériel aéroportuaire, blindages, tôlerie, équip. naval
MPB Technologies	élevée	Can.	Lasers, électromagnétique, radars
IBM Can	N.D.	É.U.	Equip Info
Peacok	N.D.	G.-Bretagne	Pièces valves
Stork Werkspoor	N.D.	P.-Bas	Climatisation, réfrigération, etc.
Hands Fireworks	environ 20	Can.	Extincteurs
Sava-Stork	100	P.-Bas/Italie	Composants du ADATS
Verreault Navigation	N.D.	Qué.	Réparation navale
Lucas	élevée	G.-Bretagne	Valves, contrôles de débit d'essence
Merlin Gerin	N.D.	France	Equip. électrique, commutateurs, etc.
Northern Telecom	N.D.	Can.	Composants
Canam Manac	N.D.	Qué.	Remorques
CGI	élevée	Qué.	Conseiller informatique, recherche

Source: GRIMR, compilation de données publiques.

Nous avons repéré au moins deux noyaux d'entreprises différents. Le premier regroupe une brochette d'entreprises dont le champ de spécialisation n'est pas prioritairement militaire. Il s'agit, dans la plupart des cas, de sociétés qui ont reconnu dans le marché de la défense un débouché potentiellement intéressant pour certaines productions civiles. Tel est par exemple le cas de la firme CFH Protection, dont la mission première est de fabriquer et d'entretenir du matériel de lutte contre les incendies. On pourrait également citer le fabricant d'hélices Stork Werkspoor, dont la plus grande partie des ventes est effectuée dans l'industrie civile. Il en va de même pour Peacok dont les valves peuvent être intégrées à des machines de guerre. De tels exemples évoquent une dynamique commerciale qui n'implique pas, au sein de l'entreprise, de choix stratégiques fondamentaux en faveur de la production militaire, même si à l'occasion, le marché de la défense peut être appelé à occuper une part importante du chiffre d'affaires de l'entreprise.

À côté de ce premier groupe s'est cependant constitué un second noyau de producteurs dont la mission commerciale trahit des tendances militaires beaucoup plus explicites. Le Québec compte actuellement une dizaine de fabricants de sous-systèmes qui n'évoluent pratiquement que dans la seule industrie militaire. On les retrouve presque tous dans les secteurs de l'aérospatiale et de l'électronique. Cette concentration sectorielle n'est pas étrangère à l'attrait exercé par la production militaire. Ces secteurs sont, en effet, les deux domaines les plus touchés par les accords canado-américains concernant d'une part, l'intégration de la défense aérienne continentale (NORAD), et d'autre part, la libéralisation des échanges dans le domaine militaire (DPSA).

Tel qu'indiqué au chapitre précédent, les accords ont favorisé une évolution du système commercial continental en direction d'une intégration plus prononcée des forces aériennes des deux pays, ce qui s'est concrètement traduit par l'achat, au Canada, d'avions américains, contre des compensations économiques. Les formes et les modalités de ces compensations ont varié dans le temps en fonction des revendications du gouvernement canadien quant au niveau des retombées économiques. Le Canada s'est par ailleurs montré de plus en plus sensible à l'impact des accords sur la R-D réalisée sur son territoire national. Pour faire face à ces exigences, les grands fabricants ont accepté de confier à des firmes localisées au Canada la responsabilité de concevoir et de fabriquer des sous-systèmes. Dans plusieurs cas, on a créé des filiales canadiennes auxquelles ont été confiés des mandats de fabrication pour certains sous-systèmes. En agissant ainsi, les Américains ont mis en place un réseau de production qui leur permet d'être en position de force sur le marché canadien, tout en retirant des bénéfices grâce aux paiements de redevances et autres formes de ristournes.

LES FABRICANTS DE SOUS-SYSTÈMES

BENDIX AVELEX: Bendix a établi sa réputation internationale grâce à ses systèmes de navigation pour avions militaires, et elle figure parmi les principaux centres de recherche du Québec en aérospatiale. La contribution de l'entreprise au programme F-18 fournit un excellent exemple de la dynamique commerciale mise en place au Canada dans les systèmes de défense aérien. Bendix s'est en effet vu confier la tâche d'assembler les carburateurs des nouveaux avions de chasse. Elle reçoit de sa maison mère américaine les carburateurs en pièces détachées, les assemble, puis réexpédie le tout à l'usine américaine de Mc Donnell Douglas responsable de l'assemblage des avions. Si l'ensemble du contenu canadien des F-18 est à l'image de ce contrat, nous sommes en droit de nous interroger sur l'apport économique et technologique qu'a pu avoir ce programme sur l'industrie nationale.

MATROX: Cette société montréalaise est sortie de l'ombre en 1987 lorsque lui a été confié un important contrat de logiciel de formation pour l'armée américaine. Matrox est devenue depuis un des symboles de l'industrie électronique militaire canadienne. Ce que l'on sait moins, par contre, c'est qu'avant de se lancer dans les exportations, elle a fait ses classes auprès de la Défense nationale.

LUCAS : Lucas fabrique des systèmes de contrôle de carburant et des pompes à carburant. L'entreprise est la filiale de l'avionneur britannique du même nom, devenu célèbre dans les milieux pacifistes à la suite d'une expérience originale de reconversion de ses activités militaires. Malheureusement la tentative a débouché sur un échec.

HÉROUX: L'ex-filiale de Bombardier a été achetée par ses administrateurs suite à la décision de la haute direction de Bombardier de privilégier son avenir technologique. Le côté un peu sous-traitant de Héroux ne cadrait pas avec le plan stratégique de Bombardier. Héroux fabrique, assemble et teste des trains d'atterrissage vendus en grand nombre sur le marché américain, surtout à des fins militaires.

ROBERT MITCHELL: Pour Robert Mitchell, le marché de la défense a longtemps revêtu un caractère un peu périphérique. Avec les années, le fabricant s'est intéressé de plus près aux besoins de l'armée et s'est notamment lancé dans la production de pièces de fonderie et de blindages. L'éventail de sa production s'accroît régulièrement et il ne fait aucun doute que l'entreprise est appelée à occuper une position croissante au sein du complexe québécois.

ROLLS-ROYCE: Cette filiale britannique est un autre acteur discret de l'industrie aéronautique militaire montréalaise. Grande exportatrice, l'entreprise remet à neuf des turbomoteurs aéronautiques et industriels. Une part régulière de ses contrats lui provient de la Défense.

VERREAULT NAVIGATION: Le nom de Verreault à été révélé au public québécois au moment de la tourmente qui a secoué l'industrie navale québécoise. Après la fermeture de la division navale de Vickers et l'abandon de l'essentiel des activités navales chez MIL-Sorel, Verreault s'est soudainement retrouvé en seconde place dans le secteur, derrière MIL-Davie. Localisée sur la péninsule gaspésienne, l'entreprise de réparation et de construction navale a vu s'ouvrir devant elle la possibilité de mettre la main sur une partie des contrats de défense traditionnellement confiés aux chantiers du Québec. Les propriétaires misent donc sur une présence plus visible dans ce créneau fort important du marché naval pour assurer leur avenir.

SAVA-STORK: Cette entreprise est le modèle type de la compagnie étrangère venue s'implanter au Québec à des fins exclusivement militaires. Filiale de Savabini d'Italie et de Stork Werkspoor des Pays-Bas, l'entreprise est une des retombées du contrat de défense à basse altitude (ADATS) piloté par la société suisse Oerlikon. La firme assure la fabrication du système de contrôle environnemental de l'appareil militaire.

ANACHEMIA: Cette entreprise de l'industrie chimique montréalaise est la seule firme du Québec dont on connaît les engagements dans la guerre chimique. Anachémia fabrique des ensembles de détection de produits chimiques militaires.

CGI: CGI évolue dans un univers moins connu de l'industrie de la défense. L'entreprise ne fabrique rien; elle agit comme conseiller informatique auprès des forces armées. L'achat récent de quelques concurrents a permis à CGI d'occuper l'avant-scène du secteur au Québec. L'entreprise ne cache pas ses ambitions sur le marché américain et lorgne de façon très explicite en direction du budget du Pentagone. Signe de l'intérêt grandissant des milieux d'affaires de Montréal pour le marché militaire, son président est aussi président de la Chambre de commerce de Montréal.

CANAM MANAC: L'expertise de l'entreprise beauceronne qui a rendu célèbre la famille Dutil, dont un des membres siège au Cabinet provincial, s'étend principalement dans le domaine des poutrelles d'aciers et des remorques. C'est dans ces secteurs que l'entreprise a contribué au renouvellement de l'équipement de la défense. Canam Manac a en effet reçu à la fin des années 70 une commande importante de remorques destinées à l'armée. Depuis ce contrat, elle n'a cependant bénéficié que marginalement des largesses du ministère de la Défense.

MPB TECHNOLOGIES: MPB évolue dans un des domaines les plus convoités de l'industrie de défense. L'entreprise est en effet une des rares sociétés du Québec à évoluer dans la recherche spatiale. MPB conduit des travaux dans les domaines de l'électromagnétique, des lasers et des radars. Elle s'avère donc un point de chute tout désigné pour le programme américain de Guerre des étoiles.

Les accords contractuels conclus au moment de la signature des programmes consacrés au renouvellement de la flotte aérienne militaire canadienne ont par ailleurs amené les Américains à garantir d'importants contrats d'approvisionnement à des entreprises situées au Canada. Ces engagements ont considérablement renforcé la collaboration bilatérale. Le haut niveau d'engagement de certains fabricants à l'endroit du marché de la défense américain n'a donc rien d'étonnant. Une entreprise comme la société Héroux réalise 70 % de ses ventes auprès des fabricants américains d'aéronefs militaires. Bendix Avelex en fait autant, au point d'être littéralement devenue otage de ses clients américains.

Les sous-traitants

C'est au niveau de la sous-traitance qu'on peut vraiment juger de la profondeur d'une organisation industrielle. En effet, la force d'une industrie tient en partie à sa capacité de s'entourer de PME dynamiques aux expertises variées. Or, à ce niveau, l'industrie de la défense du Québec projette une image ambiguë. Les maîtres d'oeuvre en poste dans la province font appel à des milliers de fournisseurs de toutes sortes dont plusieurs centaines sont mis à contribution pour certaines étapes de la fabrication. Une étude sommaire de la structure des achats de certains de ces maîtres d'oeuvre nous a cependant permis de constater qu'une part très substantielle de ces achats est faite à l'extérieur du Québec. La sous-traitance locale est donc beaucoup moins développée qu'on est généralement enclin à le croire. Une telle situation contribue évidemment à limiter l'impact des contrats militaires sur l'emploi.

C'est le secteur de l'aéronautique qui a donné lieu à la création du plus grand nombre de sous-traitants au sein de l'économie militaire québécoise. Une étude confidentielle réalisée en 1986 auprès des maîtres d'oeuvre de ce secteur par le ministère de l'Industrie et du Commerce met en évidence les problèmes des petits industriels québécois. La totalité des grandes entreprises consultées se disent insatisfaites de l'organisation et de la production des sous-traitants locaux avec lesquels elles font affaire. Ces sous-traitants ne respecteraient pas les délais, seraient difficilement capables de s'adapter aux longues séries de production, et la qualité de leurs produits laisserait parfois à désirer[4].

---

4. Ministère de l'Industrie et du Commerce, Service des équipements de transport, *Adaptation des sous-traitants au marché aéronautique*,1986

Différentes entrevues réalisées auprès d'acteurs de l'industrie militaire démontrent que les déficiences de la sous-traitance n'affectent pas que le seul secteur aéronautique, mais sont le lot de la plupart des domaines concernés par la présente étude. Il n'est donc pas étonnant de constater que très peu de sous-traitants rayonnent à l'extérieur de la province. Le marché du plus grand nombre est directement redevable aux contraintes imposées par le gouvernement fédéral quant au contenu canadien. Il s'agit donc d'un marché tout à fait artificiel où l'incompétence est banalisée. Malgré cela, certains sous-traitants se sont taillés une réputation enviable. On aura bien entendu compris qu'il s'agit d'exceptions. Le tableau 3-7 recense une vingtaine d'entreprises qui comptent parmi les unités de production les plus reconnues.

Tableau 3-7
Les principaux sous-traitants et fournisseurs de produits semi finis de l'industrie militaire québécoise, 1980-1986

Entreprises	Activité	Contrôle	Part du militaire si connue (%)
Expro	Poudres, explosifs	Canada	80
Joly Engineering	Atelier d'usinage		élevée
Nav-Aids	Matériel d'essai		élevée
Velan Engineering	Atelier d'usinage	Allemagne	nd
Triplex Engineering	Usinage, pièces de munition	Can./Suisse	élevée
Gentner	Atelier d'usinage		nd
Robco	Pièces de missiles	Canada	nd
Plastal	Pièces d'avions	Canada	élevée
Circo Craft	Circuits imprimés		nd
Cercast	Fonderie	Canada	élevée
Camoplast	Mat. composites		élevée
Shellcast	Fonderie	Canada	nd
Vestshell	Fonderie		nd
Eastern Precision	Fonderie		élevée
UDT	Atelier d'usinage		élevée
CIL	Explosifs primaires	G.-Bretagne	environ 20
Ingersol-Rand	Pièces en métal	É.-Unis	nd
CXA	Mèches	G.-Bretagne	20
Stone Marine	Hélices	G.-Bretagne	nd
Vite Forge	Pièces de tank	Qué.	40

Source: GRIMR, compilation de données publiques.

Le déblayage que nous avons réalisé dans le bassin des sous-traitants militaires nous a permis d'identifier une dizaine de créneaux où l'expertise québécoise semble être plus solidement établie: ateliers d'usinage, fonderies de précision, vêtements militaires, plastiques, fabrication de métal, traitement thermique, circuits imprimés, matériaux composites, circuits hybrides, pièces pyrotechniques et explosifs.

Les ateliers d'usinage, les fonderies et les fabricants de pièces pyrotechniques et d'explosifs occupent une position nettement prépondérante au sein du complexe québécois et nord-américain. Certains ateliers d'usinage, comme Triplex et Joly Engineering, se sont spécialisés dans la fabrication de pièces de précisions et de composants complexes utilisés dans la fabrication de missiles et de munitions de gros calibre. Certaines pièces sont notamment mises à contribution dans la fabrication de missiles nucléaires.

Le marché est un peu différent dans le cas des fonderies. Notons à cet égard que cette spécialisation s'appuie principalement sur des techniques (comme la cire fondue), dont les coûts sont élevés, mais qui permettent de fabriquer des pièces d'un niveau de pureté supérieur et de grande précision. Certains de ces équipements entrent dans la composition de plusieurs systèmes d'armes.

L'infrastructure québécoise compte également quelques fabricants de substances explosives, dont la présence tire en grande partie sa raison d'être de la proximité des usines de munitions. Le rôle des fabricants d'explosifs s'apparente cependant plus à celui de fournisseurs. L'entreprise la plus importante du groupe est la société Expro dont les activités sont à 80 % consacrées aux équipements militaires.

Le profil du complexe québécois met donc en relief au moins deux dynamiques entrepreneuriales et commerciales distinctes. La première est nationale et découle de la volonté gouvernementale. C'est en effet grâce à l'appui de l'État qu'a pu se constituer un noyau de maîtres d'oeuvre. Le marché de ce groupe dépend essentiellement du budget de la Défense nationale, et doit sa progression récente à la croissance des dépenses militaires. Les faiblesses du réseau de sous-traitants ont cependant fait en sorte qu'une part appréciable des retombées de la maîtrise d'oeuvre ne se concrétise pas au plan local, limitant ainsi l'impact économique des contrats exécutés au Québec et restreignant du même souffle leur incidence sur l'emploi. En Ontario, cette faiblesse est compensée par une étroite interaction avec le marché américain, qui concrétise un accès réel beaucoup plus étendu au budget de la défense du Pentagone.

LES SOUS-TRAITANTS

EXPRO: Cette société est aux prises avec d'importants problèmes financiers depuis qu'ont été interrompus ses envois de poudres propulsives à l'Iran à l'été 1987. Expro tente désespérément de convaincre le gouvernement fédéral de supporter son plan de modernisation. L'entreprise figure parmi les pollueurs les plus critiqués de la région de Montréal, et elle doit moderniser ses équipements. Mais le vrai problème chez Expro découle de sa trop forte dépendance face au marché militaire.

JOLY ENGINEERING: On sait peu de choses sur cette fort discrète entreprise, sinon qu'elle agit à titre d'atelier d'usinage pour des pièces de précision et que ses marchés semblent diversifiés, ce qui confirme son exellente réputation auprès des fabricants d'armes. Une part substantielle des revenus de l'entreprise semble d'ailleurs provenir du marché de la défense.

CIL : La production de CIL ne s'adresse pas prioritairement à l'industrie militaire. L'usine produit en effet des explosifs primaires (TNT) requis par le secteur de la construction. Elle figure néanmoins sur la liste des fournisseurs de plusieurs arsenaux, car ses produits sont couramment utilisés, après transformation, dans les obus. CIL vient d'ailleurs de décrocher un contrat d'approvisionnement de 50 millions de dollars auprès d'un fabricant de munitions américain. Au Canada, CIL alimente surtout Les Arsenaux canadiens.

TRIPLEX ENGINEERING: Cette entreprise, sous-traitant des Arsenaux canadiens, évolue dans le créneau des ateliers d'usinage. Sa réputation soulève cependant de nombreux commentaires chez les acteurs de l'industrie des munitions. La production de l'atelier est fréquemment de qualité médiocre, et sa survie semble tenir plus à ses appuis parmi les décideurs de la Défense qu'à ses performances industrielles. Les intérêts suisses de Triplex ne sont peut-être pas étrangers à ce traitement de faveur.

VITEFORGE: Cette entreprise fabrique des chenilles pour chars d'assaut. La PME produit également d'autres pièces en métal pour différents systèmes militaires. Il importe de relever que le marché de la défense semble de plus en plus attrayant pour l'entreprise, comme en témoigne la part croissante (actuellement d'environ 30 %) de la production qui lui est destinée. On vise une percée sur le marché américain.

CIRCO CRAFT: Ce fabricant de circuits imprimés est un important fournisseur de l'industrie électronique. La plupart de ses clients évoluent toutefois dans le secteur de la défense, et c'est donc à ce titre qu'elle est impliquée dans la production militaire.

CERCAST: La fonderie Cercast produit des pièces en aluminium et en alliages pour plusieurs acteurs de premier niveau du complexe militaro-industriel nord-américain. L'aérospatiale est son marché de prédilection, mais on la soupçonne, avec une trentaine d'autres entreprises, d'être impliquée dans la fabrication de pièces d'armes nucléaires.

UDT: Cette entreprise fait du machinage de précision et procède au traitement technique de matériaux utilisés dans l'industrie de la défense, notamment dans la fabrication de missiles et d'équipement aéronautique. Elle est entrée dans le réseau militaire au moment de sa collaboration avec Canadair.

Comme nous avons pu le constater, le commerce extérieur des entreprises du Québec n'a pas suivi la courbe ascendante du marché national. Cela démontre qu'il n'y a pas d'interaction véritable entre les activités de maîtrise d'oeuvre et la présence canadienne sur les marchés extérieurs. La maîtrise d'oeuvre demeure une affaire nationale condamnée à fluctuer au gré des besoins et des ressources de l'armée canadienne. Il est donc à prévoir que les grandes entreprises qui ont fait le choix d'investir dans ce domaine, auxquelles il y a lieu d'ajouter les centaines de PME engagées dans la sous-traitance, seront aux prises avec un problème majeur lorsque le cycle actuel de renouvellement des équipements militaires sera terminé. Très peu d'entre elles pourront alors se tourner vers l'étranger.

En fait, les perspectives d'avenir des marchés extérieurs sont peu reluisantes. Tel qu'indiqué précédemment, le volume des exportations militaires en provenance du Québec est demeuré à peu près stationnaire au cours des dernières années. Étant donné que le principal marché d'exportation des firmes québécoises est situé aux États-Unis (80 %), les décisions récentes de geler les budgets de la Défense américaine risquent de se traduire par un étranglement de ce marché. Pour maintenir la production, les fabricants devront alors se tourner vers les autres pays de l'OTAN ou le tiers monde. Mais ces deux marchés sont hautement compétitifs et les percées canadiennes ont peu de chances d'y être nombreuses.

CHAPITRE 4
LA CONSTRUCTION NAVALE

Dans un livre écrit au début des années 80, George H. Quester tente d'identifier les systèmes d'armement les plus prometteurs. Selon lui, les sous-marins tant nucléaires que conventionnels qui ont fait leurs preuves sur tous les théâtres de guerre maritime depuis la Deuxième Guerre mondiale, sont les systèmes les plus redoutables actuellement. Par ailleurs, à cause de leurs caractéristiques très particulières, les mines seraient également appelées à jouer un rôle stratégique de tout premier plan[1]. Plus difficilement détectables tout en offrant la perspective d'une force de frappe redoutable, ces systèmes sont en croissance un peu partout dans le monde. L'opinion de Quester est partagée par l'Amiral Pierre Lacoste, militaire français à la retraite, dont un ouvrage récent a eu de nombreux échos au plan international. Pour l'Amiral, l'apparition du sous-marin lanceur de missiles nucléaires (SLBM) a modifié l'échiquier stratégique mondial et fait du contrôle des mers un enjeu de premier plan[2]. Richard Garwin mentionne pour sa part certains systèmes qui selon lui constitueront la base de l'armement de l'avenir, soit le mini-submersible, les mines, les satellites,les missiles balistiques lancés de cargos, les systèmes de commande unifiés, et les bateaux peu coûteux pour augmenter la force de frappe[3].

Il n'est donc pas étonnant que les militaires canadiens revendiquent de nouveaux équipements de combat où figurent en tête de liste corvettes rapides, sous-marins nucléaires et dragueurs de mines. Le Canada adhère en effet aux orientations de l'OTAN qui mettent l'accent sur le soutien au combat. Le

---

1. George H. Quester, *Navies and Arms Control*, Aspen Institute Book, 1980.
2. Pierre Lacoste, *Stratégies navales du temps présent*, Éditions Jean-Claude Lattès, 1985.
3. Richard L. Garwin, "The Shape of Future U.S. Naval Forces", in Quester, G.H., *op.cit.*

gouvernement canadien considère également que l'acquisition de systèmes de défense modernes est devenue essentielle, sans quoi la force de dissuasion canadienne n'aura plus aucune crédibilité.

La détérioration du climat politique international au début des années 80, le durcissement des positions américaines face à la défense du monde occidental, les objectifs de modernisation et d'uniformisation de la flotte de guerre du bloc occidental établis par l'OTAN, et l'émergence de nouvelles préoccupations stratégiques constituent autant de facteurs qui, s'ajoutant à l'état désuet des équipements, ont justifié aux yeux du gouvernement canadien la mise en oeuvre d'un plan de revitalisation de la marine canadienne. Celui-ci a donc adopté une série de programmes destinés à moderniser les navires encore fonctionnels et à remplacer ceux qui ont terminé leur vie active. Ainsi, en 1985 prenait fin le programme SOUP (Submarine Operational Update Program) consacré à la modernisation des trois sous-marins conventionnels de classe Oberon[4]. Parallèlement, le programme Delex (Destroyer Life Extension Project) a permis de changer les systèmes de communication, de détection et une partie de l'armement des destroyers de classe Annapolis et Saint-Laurent[5]. En 1984, Ottawa a amorcé le programme TRUMP (Tribal Update and Modernization Project) dans le but de moderniser les destroyers de classe Tribal[6]. Enfin, un contrat de fabrication de six nouvelles frégates a été adjugé en 1985 à la firme St. John Shipbuilding. La construction d'un second groupe de frégates sera également réalisée par ce chantier. A cela s'ajouteront une douzaine de dragueurs de mines (début du contrat en 1992). Signalons enfin l'existence de différents programmes d'importance moindre, dont l'objet est d'assurer l'entretien des navires, la modernisation de l'équipement de combat et l'acquisition de nouveaux équipements. Notons par exemple le système de surveillance par réseaux remorqués et le système de guerre électronique en mer[7].

---

4. Voir "Oberon Submarines and SOUP: Canadian Navy", dans *Navy International*, vol. 90, n° 4, avril 1985, p. 237.
5. Voir "Canadian Defense Equipment Projects: Destroyer Life Extension Project", dans *International Defense Review*, vol. 18, n° 3, 1985, p. 341.
6. Le projet TRUMP concerne les destroyers Iroquois, Huron, Athabaskan et Algonquin. Il est prévu d'affecter 800 millions de dollars à la moderni-sation de l'armement et 400 millions à différents travaux sur les navires.
7. Canada, Ministère de la Défense nationale, *Défense 1984*, Ottawa, 1985, p. 106.

Ces projets découlent d' une série de choix. À un premier niveau, le Canada a renouvelé certains de ses engagements auprès de l'OTAN. Sa flotte a donc pour mission de participer au plan de défense de l'Occident. Par ailleurs, le pays a, il y a maintenant près de dix ans, porté la limite de ses eaux territoriales à 200 milles des côtes et la marine juge que, pour protéger correctement les eaux territoriales, elle aurait besoin non pas de 20 ou 25 mais de 40 ou 50 nouveaux navires.

À moyen terme, la militarisation du Nord constitue la donnée stratégique la plus importante pour la flotte canadienne. La présence de bases soviétiques dans la zone sub-polaire, et l'intrusion présumée de leurs sous-marins militaires dans les eaux canadiennes a incité le Canada à mettre en place un système de défense naval dans cette région du globe. C'est sans doute dans le but de forcer la main aux Canadiens que le navire américain Polar Sea a violé le territoire canadien il y a quelques années. À la suite de cet événement, le Canada a tenté d'engager des discussions avec les autres pays nordiques en vue de démilitariser le Nord (Conférence circumpolaire). Il aurait souhaité pour cette zone la signature d'un accord comparable à celui qui prévaut dans l'Antarctique[8]. Jugée irréaliste par plusieurs, cette hypothèse a cédé la place, en mars 1987, à une politique axée sur une présence militaire accrue[9]. Le ministre de la Défense a en effet annoncé son intention de construire cinq bases militaires nordiques. Parallèlement, il a alloué au chantier Versatile Pacific un contrat de construction d'un super brise-glaces de classe 8, dont la mission sera précisément de patrouiller le territoire Arctique.

C'est sur cette toile de fond que se pose présentement l'enjeu du renouvellement de l'armement naval canadien. Des sommes colossales seront consacrées à cette tâche. Les 12 premières frégates qui sortiront des chantiers navals au début des années 90 coûteront près de 8 milliards de dollars. Suivront les dragueurs de mines quelques années plus tard, au coût estimé de 750 millions en dollars de 1988. Des brise-glaces doivent également compléter le programme d'acquisition. Ajoutons à cela les sommes consacrées à la modernisation des équipements actuels et nous atteignons un total de 21 milliards de dollars d'ici l'an 2000.

---

8. Voir Kurt M. Shusterich, "The Antarctic Treaty System: History, Substance, and Speculation", dans *International Journal*, vol. 34, n° 4, automne 1984.
9. CIIA Working Group Report, *The Other Round to Security: Canada and Disarmament*, Toronto, Canadian Institute of International Affairs, 1982, pp. 8-9.

LA PLACE DE L'INDUSTRIE MILITAIRE

L'industrie navale canadienne est présentement confrontée à une des crises les plus profondes de son histoire. Les données disponibles indiquent que le nombre de travailleurs est passé de 17 000 en 1980 à 8 000 en 1984. Comment les chantiers en sont-ils venus là? Des études récentes ont identifié les causes principales de cette crise. Un nombre croissant de navires est construit à l'étranger, faisant ainsi en sorte que la modernisation de la flotte marchande canadienne intérieure et hauturière ne profite que de façon partielle aux chantiers locaux. Des coûts de main-d'oeuvre largement inférieurs dans certains pays, comme la Corée et Taïwan, minent la position concurrentielle des chantiers canadiens[10]. En outre, l'absence d'une politique de cabotage et d'une stratégie de soutien à la construction navale, ainsi qu'une politique de subventions moins généreuse qu'ailleurs, obligent l'industrie navale canadienne à affronter cette concurrence avec un soutien gouvernemental très inférieur à celui de ses compétiteurs[11]. Ajoutons à cela l'échec du Programme énergétique national, sur lequel Ottawa misait pour insuffler un nouvel élan au secteur[12]. Signalons enfin le retard technologique de plusieurs chantiers et l'incapacité manifeste des gouvernements en place à formuler une politique de relance susceptible d'assurer l'amélioration de la productivité. Ces différents phénomènes ont constitué les ingrédients d'une crise qui revêt un caractère structurel. Les chantiers sont frappés d'une anémie si profonde que leurs administrateurs n'ont pu imaginer d'autres solutions que le repli sur la production militaire.

Depuis une dizaine d'années, les différents paliers gouvernementaux sont les principaux pourvoyeurs de contrats pour les chantiers canadiens, même si la flotte gouvernementale canadienne (municipale, provinciale et fédérale) ne regroupe environ que 350 navires, soit une proportion équivalant à 35 % de l'ensemble de la flotte canadienne (excluant les bateaux de pêche de moins de 100 pieds).

Faut-il en déduire que les contrats d'origine militaire jouent un rôle primordial pour cette industrie? Actuellement la marine de guerre canadienne

---

10. Québec (province), Ministère de l'Industrie et du Commerce, *Les chantiers maritimes au Québec et au Canada. État de la situation et perspectives*, Québec, 1985.
11. CSN, *Pour la relance du naval au Québec*, octobre 1983.
12. Voir Michel Duquette, "Libéralisme ou nationalisme dans la politique énergétique canadienne", dans Bélanger, Yves et Brunelle, Dorval, *L'Ère des libéraux*, Presses de l'Université du Québec, 1988.

compte 83 navires, dont 23 destroyers et trois sous-marins; les autres bâtiments sont de taille plus modeste et remplissent surtout une fonction logistique. La marine représente à peine 8 % de la flotte canadienne et guère plus de 23 % de la flotte gouvernementale.

Néanmoins, de 1980 à 1986, 6 milliards de dollars de contrats liés à la défense ont été versés à des entreprises du secteur naval. Cette somme représente près des trois quarts des fonds gouvernementaux attribués à la construction ou à la réparation de navires, et donc environ 34 % de toute les activités des chantiers. Le secteur militaire dispose conséquemment d'un poids économique très supérieur à ce que représente dans la réalité la flotte de défense canadienne. Dans certaines provinces comme le Québec, cette influence atteint des proportions démesurées. Actuellement, les contrats militaires constituent au-delà de 60 % du carnet de commande des chantiers québécois. La répartition régionale des contrats de dépense en construction navale entre 1980 et 1986 se retrouve au tableau 4-1

Tableau 4-1
Répartition régionale des contrats de défense en construction navale, Canada 1980-1986 compilatif, (chiffres arrondis)

Régions	Valeur (millions $)	Pourcentage
Maritimes	2 600	44
Québec	1 300	22
Ontario	800	13
Ouest	1 300	21
TOTAL	6 000	100

Source: GRIMR, compilation de données publiques

En 1984, comme l'indique le tableau 4-2, le Canada comptait 56 chantiers navals répartis dans huit provinces. Treize d'entre eux étaient situés au Québec, 15 en Colombie britannique, 10 en Nouvelle-Écosse et 9 en Ontario. Sur un total de 8023 travailleurs de la production qui étaient à l'emploi de ces chantiers, 30 % exerçaient au Québec, 25 % en Colombie britannique, 10 % en Nouvelle-Écosse et 19 % en Ontario. Précisons cependant que la majorité des chantiers sont de petite taille. En fait, seulement cinq chantiers employaient plus de 500 ouvriers et deux plus de 1 000. Ces entreprises sont identifiées au tableau 4-3

Tableau 4-2
Les chantiers maritimes au Canada

	1960	1970	1980	1984*
Nombre d'établissements	66	62	69	56
Nombre de salariés	15 061	13 790	17 185	8 023
Valeur de la production ('000 000 $)	148	232	1 076	190
Valeur ajoutée (000 000 $)	96	132	564	465

(*) Données complétées par le GRIMR.
Source: Statistique Canada, catalogues nos 31-203 et 42-218.

Tableau 4-3
Les grandes entreprises militaires de l'industrie navale au Canada

Entreprises	Province	Systèmes	Propriété	Valeur (millions)
St. John Shipbuilding	N-B	Frégates, Réparations guerre anti S-Marine	Canada	3 700
Versatile Pacific	C-B	Brise-glace Polar 8 Réparations		
Groupe Marine Industrie	Québec	Frégates, Réparations Sonars	SGF Qué	480
Brenton	N-Écosse	Réparations		20
GM of Canada	Ontario	Syst. déminage	GM É-U	20

Source: GRIMR, compilation de données publiques.

Il ne fait aucun doute que les besoins de la défense s'apparentent dans une large mesure à une problématique industrielle de soutien à la politique industrielle pour l'ensemble du secteur. Dans un document récent rédigé à l'intention du ministère de la Défense nationale, des fonctionnaires fédéraux écrivent:

> Avec le soutien du commerce gouvernemental, et pour demeurer concurrentielle, on s'attend à ce que l'industrie rationalise ses opérations et cette rationalisation sera fonction, dans une large mesure, des besoins en matière de sécurité nationale au cours de la prochaine décennie[13].

Ces impératifs ont grandement influencé l'approche d'Ottawa dans le dossier de la restructuration de l'industrie navale. Rappelons que le ministre Don Mazankowski confirmait en mai 1986 les démarches de son ministère en vue de réorganiser le secteur[14]. Il reconnaissait en outre avoir confié au président de la compagnie Versatile (P.P. Sanders), elle même propriétaire de plusieurs chantiers, la mission de proposer et de négocier un plan de restructuration fondé en bonne partie sur le contenu militaire des carnets de commande des chantiers.

Le Plan Sanders a avorté, mais une seconde transaction, suite à une injection de fonds de 100 millions de dollars de la part du gouvernement fédéral a mené à la vente des chantiers Vickers/Montréal et Davie/Lauzon à la société d'État Marine Industrie. Un plan de restructuration beaucoup plus radical, sur lequel nous reviendrons, sera mené à l'intérieur de l'entreprise par la direction de Marine à la fin de 1987. Retenons pour l'instant que la situation dramatique de l'industrie navale canadienne commandait une réorganisation qui a été opérée en fonction des intérêts de la défense. Très concrètement, cette réorganisation a donné lieu à un redéploiement de la capacité industrielle au profit des chantiers côtiers (côtes est et ouest), au détriment des entreprises localisées dans les provinces du centre. Les chantiers maritimes du Québec ont été les principales victimes de ce déplacement du centre de gravité de l'industrie.

---

13. Ministère des Approvisionnements et Services Canada, *Support industriel à la défense du Canada, l'étude de l'industrie du matériel de défense 1987*, Ottawa, 1987, p. 5.
14. P.C., "Stevens a bien demandé une étude de rationalisation des chantiers maritimes", *La Presse*, 24 mai 1986.

LA DYNAMIQUE QUÉBÉCOISE

Entre 1980 et 1986, le secteur naval québécois a recueilli 1,5 milliard de dollars en contrats de défense. Environ 600 millions de dollars ont été versés aux chantiers navals pour divers travaux de construction, de modernisation et de réparation de navires de guerre. La reste a servi à l'achat d'équipements électroniques divers et de pièces d'armement produits par d'autres entreprises. Au total, près de 120 compagnies québécoises ont obtenu des contrats. Peu d'entre elles cependant ont été titulaires de contrats majeurs, elles ont donc dû se satisfaire de sous-contrats d'importance variable. La plupart de ces entreprises évoluent dans des secteurs périphériques comme la fabrication de munitions (les Arsenaux canadiens), l'électronique (Marconi, CAE), la fabrication de moteurs (Pratt & Whitney, CGE), celle de valves (Peacock) ou l'ingénierie générale (SNC).

L'intérêt des chantiers québécois pour l'industrie militaire a été, ici comme ailleurs au Canada, directement lié à l'effondrement des marchés civils. Le Québec a cependant vécu la crise plus difficilement. Les chantiers québécois sont en effet confrontés à l'effritement continu, depuis 30 ans, de leur part du marché au bénéfice des autres chantiers canadiens. L'emploi et la production imputables aux chantiers québécois n'a donc cessé de décroître. En fait, la production québécoise qui comptait pour la moitié de la production canadienne au lendemain de la Deuxième Guerre mondiale, n'en représente plus que le quart aujourd'hui (cf. tableau 4-4). Or, à cause de son importante utilisation de main-d'oeuvre, des retombées économiques indirectes qu'elle génère et de la fonction stratégique qu'elle assume dans certaines régions de la province, cette industrie occupe une place importante dans le tissu industriel québécois[15]. Notons que l'effritement que nous venons de décrire s'inscrit sur la toile de fond d'un mouvement plus profond qui affecte l'ensemble du secteur manufacturier provincial.

Le Québec ne possède plus que deux chantiers majeurs, soit MIL Davie, et Verreault Navigation. Les chantiers Vickers et MIL Sorel ont en effet dû se retirer du secteur. Vickers est menacée de fermeture et entrevoit la possibilité de se spécialiser dans la production industrielle. En ce qui a trait à MIL Sorel, l'usine n'a plus aujourd'hui pour seule mission que de fabriquer des turbines hydro-électriques et des modules de navires. On retrouve au

---

15. MIL a longtemps été le plus gros employeur de la région Sorel/Tracy. MIL-Davie est le second employeur en importance dans la région de Québec après le gouvernement québécois.

tableau 4-5 les entreprises québécoises qui effectuent de la production militaire dans le secteur naval.

Tableau 4-4
Évolution de la part québécoise sur la production canadienne (1960-1984)
(en pourcentage)

	1960	1970	1980	1984
Nombre d'établissements	18,2	12,9	14,5	21,8
Nombre d'employés	44,4	40,7	35,4	32,4
Valeur de la production	49,6	46,9	40,7	25,2
Valeur ajoutée	50,2	47,6	37,7	30,6

Source: Statistique Canada, catalogue n° 42-218.

Tableau 4-5
Les entreprises québécoises et la production militaire

Entreprise	Activité	Propriété	Valeur (millions $)
• Groupe Marine	Construction navale Réparations Sonars	SGF Québec	480
• General Electric	Pièces	GE É-U	60
• CAE	Pièces electron.	CAE Canada	nd
• Stork Werkspoor Canada	Pièces	nd	nd
• Peacock	Valves	Weir Group G-B	15
• Securiplex	Syst. de sécurité	SNC Québec	10
• Merlin Gerin	Equip. électrique	Merlin-Gerin France	10
• Stone Marine	Hélices	Stone Platt G-B	nd
• Verreault Navigation	Réparation	Québec	nd

Source: GRIMR, compilation de données publiques.

Pour les raisons évoquées plus haut, les contrats militaires sont des enjeux majeurs pour l'industrie québécoise. Le Québec a mené un combat de tous les instants au cours de la dernière décennie en vue de se voir attribuer "sa" part des contrats, avec un succès toutefois très relatif; la plupart de ces batailles ont en effet été perdues. Ainsi, lors de l'attribution du premier bloc de frégates, le consortium Scan Marine formé de Pratt & Whitney et de Davie Shipbuilding espérait bien remporter la maîtrise d'oeuvre des bateaux; mais elle a été attribuée au groupe Sperry/St. John Shipbuilding and Dry Dock. Une fois la bataille perdue, les pressions se sont faites vives pour que les usines québécoises obtiennent une part substantielle des travaux. On a dépensé 42 % des fonds au Québec, qui a hérité notamment de la construction de trois coques et de l'implantation d'un centre de technologie chargé de concevoir les systèmes de défense et d'attaque des bateaux (Paramax).

La décision d'attribuer le deuxième bloc de six frégates au seul chantier St. John Shipbuilding a suscité la colère des chantiers québécois. Ceux-ci misaient sur l'obtention d'au moins deux bateaux pour garnir leur carnet de commande. L'octroi du contrat au chantier des Maritimes a non seulement mis en péril la viabilité de l'industrie québécoise à long terme, mais a également creusé un trou de trois ans dans sa production, faisant ainsi planer une sérieuse menace de fermeture. Cette décision a également rendu inévitable une réorganisation immédiate du partage du travail entre les chantiers québécois.

Pour saisir toutes les dimensions de cette réorganisation, il faut revenir quelques années en arrière, au moment où, après avoir constaté les limites imposées à l'industrie canadienne par la conjoncture économique mondiale, le gouvernement fédéral a décidé de réduire le nombre de chantiers au pays. Plusieurs ne fonctionnaient à l'époque qu'à environ 35-40 % de leur capacité. Tel qu'indiqué plus tôt, Ottawa confia donc au président du groupe Versatile la responsabilité de restructurer le secteur. Le plan Sanders proposait une réforme majeure des activités navales, principalement celles situées au Québec. Cette emphase était justifiée par la diminution de la contribution des chantiers québécois à l'ensemble de l'industrie canadienne[16]. Concrètement, le plan préconisait:

1. L'abandon de toute activité navale au chantier Vickers de Montréal et son orientation vers d'autres productions industrielles lourdes.

---

16. Versatile Corporation, *Lettre au ministre Daniel Johnson*, 28 avril 1986.

2. La réduction des activités du chantier Marine Industrie de Sorel, et sa spécialisation dans les opérations de réparation navale et autres activités industrielles.
3. La concentration de la construction navale au chantier Davie de Lauzon. (Propriété de Versatile au moment du dépôt du plan)

Le plan impliquait donc la réduction de la production navale québécoise. Pour justifier cette approche, l'auteur disait notamment:

> The increased efforts by the Department of National Defense to modernize Naval Dockyards, both East and West, and retain in those establishments navy work that should be contracted out to private industry, should be discouraged and controlled[17].

En fait, le plan s'inscrivait dans le prolongement des réflexions entreprises par l'establishment militaire dans le cadre du contrat des frégates. Avant que la répartition des travaux ne fut définitivement arrêtée, il apparut manifeste que les militaires avaient étudié de près le potentiel et les caractéristiques propres à chaque chantier. C'est à la suite de cette réflexion que certains contrats furent déplacés. A ce moment, déjà, les militaires avaient fait le choix de ne soutenir, au Québec, qu'un seul chantier, en l'occurrence celui de Lauzon, et de concentrer toutes leurs ressources sur les zones côtières de l'Atlantique et du Pacifique. Les chantiers Marine-Sorel et Vickers-Montréal tentèrent bien de résister à la réorganisation, mais Ottawa revint à la charge à la fin de 1986 en proposant cette fois de regrouper les chantiers sous la gérance du groupe Marine Industrie. La transaction d'achat des entreprises fut officialisée à la fin de janvier 1987. Il coûta au gouvernement fédéral 134 millions de dollars en subventions pour régler cet épineux dossier[18].

Des pourparlers entre les parties gouvernementales, patronales et syndicales furent dès lors engagés en vue de constituer un groupe de travail chargé de définir le partage des travaux entre les trois chantiers québécois. La CSN faisait connaître les conditions de la participation de ses syndicats membres en date du 6 mars 1987[19]. La direction de Marine tenta, dans le cadre des travaux de ce groupe, de faire adopter un nouveau plan de réorganisation.

---

17. *Idem*, p. 3.
18. Denis Lessard, "La CSN va demander des comptes à Daniel Johnson", *La Presse*, 9 janvier 1988.
19. CSN, *Document soumis par les syndicats CSN à Marine Industrie Ltée sur le groupe de travail sur la spécialisation et le développement*, 6 mars 1987.

Au cours de l'été 1987, le gouvernement québécois apprenait sa défaite dans l'attribution du deuxième contrat de frégates. Il devenait, à son avis, impératif de réorganiser les chantiers. La nouvelle de l'octroi du contrat à St. John Shipbuilding fut donc retardée, le temps de mettre au point un nouveau projet de restructuration. Ce dernier fut rendu public en même temps que la décision fédérale au début de décembre 1987. Le nouveau plan prévoyait:

— la fermeture ou la vente de Vickers Montréal avec un mince espoir de préserver la division industrielle;
— la spécialisation du chantier Marine/Sorel dans la construction modulaire, les plates-formes de forage et les turbines hydro-électriques;
— la vente des filiales Foresteel et Sometal;
— la concentration des activités navales à Lauzon.

Vickers et Marine/Sorel sortaient donc perdants, Davie obtenant un sursis avec un carnet de commandes rempli jusqu'en 1991[20] et de vagues projets de sous-marins pour le milieu des années 90[21]. Pour Vickers, le plan revêtait l'allure d'une véritable catastrophe puisqu'il venait s'ajouter à l'annonce d'une réduction à court terme des contrats industriels émanant de la Défense américaine. Vieille, technologiquement dépassée malgré certains investissements réalisés entre 1980 et 1986, l'usine de l'est de Montréal allait donc mettre à pied 400 salariés.

Le contrat des frégates a été à l'origine d'une réorganisation majeure de l'industrie, réalisée au détriment des chantiers québécois. Il s'agit vraisemblablement d'une nouvelle étape du déclin de l'industrie navale provinciale. Ne possédant plus qu'un seul chantier majeur, la position du Québec face aux contrats fédéraux est indiscutablement affaiblie.

UN SEUL GRAND ACTEUR INDUSTRIEL

Le groupe Marine Industrie

Depuis la décision de fermer le chantier Vickers, le groupe Marine Industrie repose sur deux usines de production principales, soit MIL-Davie et MIL-Sorel, auxquels doit être ajoutée la filiale MIL Systems and Engineering localisée à Ottawa..

---

20. Michel Van de Walle, "Marine fermerait le chantier Vickers", *La Presse*, 6 janvier 1988.
21. Georges Angers, "Johnson entrevoit la fermeture des chantiers en 1992 ou 1991", *Le Soleil*, 19 décembre 1987.

Depuis 1980, le chantier de Lauzon contrôle tous les projets de construction de navires de guerre sur le territoire québécois. Au niveau canadien, Davie occuperait ainsi la troisième place derrière St. John Shipbuilding and Dry Dock (3 milliards de dollars) et Versatile Pacific (800 millions)[22]. Sa situation tient au fait que, suite à des transactions et à des échanges de contrats, Davie est impliquée dans deux projets militaires majeurs, soit les frégates et le programme TRUMP (dont les travaux ne sont pas encore amorcés). Le chantier a en outre effectué différents travaux de réparation dans le cadre du programme Delex. Au total, depuis 1980, la MIL-Davie a obtenu au moins cinq contrats majeurs. Mentionnons, par ailleurs, que la division industrielle fabrique depuis plusieurs années des sonars-dome pour le compte de la marine américaine.

La mission du chantier a beaucoup évolué au cours de l'histoire. Avant 1945, 70 % des contrats étaient militaires. Par la suite, la production s'est déplacée du côté des bâtiments civils. Enfin, après la crise du pétrole et l'effondrement consécutif des marchés des plates-formes de forage et celui des pétroliers, l'entreprise est revenue à la fabrication militaire. Le chantier de Lauzon est présentement le seul centre de production du groupe Marine à effectuer des travaux de construction, d'assemblage et de réparation. C'est donc lui qui construit présentement les trois frégates accordées au Québec.

Au cours des dernières décennies, Marine/Sorel a été confrontée à des problèmes qui ont durement affecté ses activités et qui l'ont incitée à se diversifier. D'importants investissements ont conséquemment été consacrés à la mise en opération de deux divisions engagées dans la fabrication de wagons de chemin de fer et de matériel hydro-électrique[23]. Seule cette dernière division est encore en opération. C'est d'ailleurs elle qui génère présentement le plus grand nombre d'emplois sur le chantier. La division des wagons a été abandonnée suite à l'effondrement de ce marché.

En 1980, la direction de Marine a envisagé d'abandonner la construction navale pour, par la suite, se raviser et proposer une stratégie orientée vers la construction de plates-formes de forage et de navires de guerre, et en espérant ainsi améliorer sa position sur le marché international. Le projet de pénétrer le marché des plates-formes de forage a été délaissé en même temps que le prix du pétrole a baissé et le Programme énergétique national canadien a été abandonné[24]. Depuis le lancement du dernier bateau Marindus fabriqué

---

22. *Financial Post*, 1er décembre 1984.
23. Auquel s'ajoute la division industrielle implantée à Montréal et à Rimouski.
24. CSN, *L'avenir et les choix de Marine Industrie*, texte ronéotypé, s.d.

pour la Pologne en 1980, MIL n'a obtenu aucun contrat étranger. Signalons que la structure du chantier est conçue pour la production en série, mais la taille des navires pouvant y être construits est limitée (17 000 tonnes).

Depuis la restructuration de l'hiver 1987, le chantier quitte la construction navale pour se consacrer à la fabrication de modules qui seront ultérieurement assemblés sur les bateaux par Lauzon. Elle table enfin sur la relance de l'industrie hydro-électrique pour revitaliser sa division industrielle. L'annonce de la deuxième phase de la Baie James soulève des espoirs.

Autrefois filiale de la compagnie britannique Vickers (1911-1981), la MIL-Vickers est passée sous le contrôle du groupe Versatile en 1981. Par la suite, elle a été intégrée au groupe Marine Industrie qui, lui, l'a fermée. Vickers a délaissé depuis 1969 la construction de navires pour se consacrer à l'usinage industriel et à la réparation navale. La société se situe néanmoins parmi les entreprises québécoises les plus impliquées dans la production militaire. Entre 1980 et 1987, elle a effectué des travaux d'usinage et de réparation liés au militaire pour une valeur équivalant à 110 millions de dollars. La firme montréalaise a notamment oeuvré dans la fabrication de composants de coques des sous-marins nucléaires américains Trident. Bien qu'elle ait été écartée des contrat des frégates, elle espérait refaire surface avec le contrat des sous-marins nucléaires. L'abandon de ce dernier projet la met donc à nouveau en péril.

Au début des années 80, 20 % des activités de Marine découlait de la production militaire. L'effondrement des marchés civils a cependant fait grimper radicalement cette proportion. Les contrats militaires représentaient en 1988 plus de 60 % du carnet de commandes. Au lieu de résister à la militarisation de ses activités, MIL a fait le choix de s'y spécialiser.

On pensait, à l'époque, que les contrats militaires allaient prendre la relève de la production civile et permettre de sauver usines et emplois. Les événements récents montrent que cette stratégie est une faillite totale. On lui doit non pas la croissance, mais bien le déclin de l'industrie navale provinciale. Maintenant que le Québec ne compte plus qu'un seul chantier majeur, son rapport de force sur la scène canadienne est amoindri au moment même où une guerre à finir risque de s'amorcer entre les grands chantiers du pays, suite à l'abandon de programmes militaires. Une nouvelle crise est donc à prévoir.

*

* *

L'exemple du secteur naval permet donc de constater certaines conséquences de la militarisation. Autrefois florissants, les chantiers sont actuellement dans une position de grande vulnérabilité. Les entreprises du secteur ne sont plus que l'ombre de ce qu'elles étaient et l'avenir s'annonce encore plus sombre. Il est cependant encore possible de renverser la vapeur. Les usines en cause ont un potentiel industriel qui pourrait certainement être exploité avec avantage dans l'industrie civile. Le syndicat de Vickers semble avoir compris cela récemment en se déclarant à la recherche d'un acheteur disposé à investir dans la production commerciale. Le virage effectué par l'usine de Sorel en direction de la fabrication de turbines électriques montre à cet égard qu'il est possible de reconvertir. Malheureusement, tous les espoirs ne semblent plus reposer actuellement que sur le remplacement du programme des sous-marins nucléaires par un programme plus modeste impliquant cette fois la construction de sous-marins diesel. La décision du gouvernement fédéral doit être rendue à l'automne 1989. Qu'elle soit positive ou négative, il faut être conscient que cela ne réglera en rien le problème des chantiers québécois. Tout au plus peuvent-ils espérer un sursis au terme duquel la situation sera aussi désespérée qu'elle l'est actuellement. La part d'un éventuel contrat de sous-marins qui a des chances d'être confiée aux usines de la province risque par ailleurs d'être diminuée. Il y a en effet fort à parier qu'un nombre plus grand d'entreprises et de provinces réclameront un morceau du gâteau et que cela réduira d'autant le volume de travail attendu par le Québec. Le marasme risque donc de perdurer et il y a de forts risques qu'on en vienne, un jour, à conclure que le Québec n'a plus aucune place dans l'industrie navale. Tel sera probablement, en fin de compte, le prix que la province aura à payer pour la militarisation de l'industrie canadienne.

CHAPITRE 5
L'INDUSTRIE AÉROSPATIALE

Au cours de la Première Guerre mondiale l'avion a plus été un objet de curiosité que l'arme redoutable que l'on se plaît généralement à décrire. Mais l'évolution technologique de l'entre-guerre a rendu possible la construction d'un armement aérien plus sophistiqué. Plus autonome, plus rapide, mieux équipé, l'avion est devenu un des vecteurs les plus redoutables de l'intervention militaire. La période de la Deuxième Guerre mondiale a été un véritable laboratoire de la guerre aérienne, suivie de plusieurs vagues de renouvellement de l'équipement qui, par l'effet combiné de la sédimentation des systèmes et du secret militaire, ont contribué à l'émergence de technologies de plus en plus étrangères à l'économie civile.

La mise en orbite du premier Spoutnik en 1957 a cependant changé les données stratégiques de la planète et lancé les Américains dans la course spatiale. L'évolution associée à cette nouvelle dynamique technologique a modifié en profondeur l'ensemble de l'industrie aérospatiale. Les grands enjeux commerciaux liés au champ militaire portent aujourd'hui sur des systèmes dont l'impact financier et industriel est gigantesque. Le projet américain de guerre des étoiles pourrait coûter près de 1 billiard de dollars aux contribuables américains. Des sommes aussi colossales seront englouties dans les programmes de satellites espions et de modernisation de la flotte aérienne de l'OTAN.

Dans son livre blanc sur la défense, le gouvernement canadien dégage une analyse des enjeux stratégiques du Canada qui ne laisse planer aucun doute sur le rôle fondamental des forces aériennes[1]. La zone de déploiement placée en totalité ou en partie sous la responsabilité du Canada est une des plus vastes de l'hémisphère nord. Elle inclut le territoire national revendiqué par le Canada, également un des plus étendus au monde. Or, au-delà des deux tiers de

---

1. Gouvernement du Canada, Ministère de la Défense nationale, *Défis et engagements, une politique de défense pour le Canada*, Ottawa, 1987.

ce territoire sont pratiquement inhabités. Les forces terrestres y sont réduites à leur plus simple expression.

Le vaste éventail des systèmes de défense aérienne et spatiale destinés à la protection du continent nord-américain, auquel le Canada participe, représente conséquemment une variable importante sur le plan stratégique et industriel. Selon nos estimés, entre 20 % et 25 % de la production de l'industrie aéronautique canadienne relève directement des budgets de défense. Or, comme ce secteur figure en bonne place au sein de la stratégie de relance économique mise en place par le gouvernement canadien, il en découle une politique de promotion des centres d'expertise militaire. Dans ce sens, la production militaire y est perçue comme l'expression la plus innovatrice de l'industrie de l'armement véhiculée par les autorités canadiennes. Cette industrie est littéralement devenue le symbole technologique de la modernité, en plus d'être une des fenêtres de l'ouverture des entreprises canadiennes sur le monde.

Le marché militaire est ici souvent perçu comme un marché de première importance dont la fonction est névralgique, puisqu'il permet à l'Etat d'y encourager certaines priorités de développement. Il faut préciser que la politique gouvernementale repose sur une philosophie assez simple. Les fonctionnaires ont conclu depuis longtemps que l'industrie nationale n'a pas en main les instruments pour concurrencer ouvertement les grands fabricants étrangers, de sorte qu'on a fait le choix de privilégier une approche orientée vers la mise en place d'une expertise nationale complète dans les créneaux négligés par les grandes sociétés américaines et européennes, comme les avions à atterrissage et à décollage court ou les gros jets privés. On a choisi aussi de favoriser un haut niveau de spécialisation destiné à stimuler la croissance des sous-traitants. La stratégie commerciale du Canada vise donc l'émergence d'une expertise spécialisée et les contrats militaires ont depuis longtemps été identifiés comme des instruments susceptibles d'appuyer cette politique. On a tenté de les utiliser en vue de permettre aux entreprises nationales de consolider leur position sur le marché international.

Les retombées liées aux projets militaires apparaissent dans la réalité beaucoup moins spectaculaires qu'on tente de nous le faire croire. Dans le contexte canadien, la façon de concevoir le développement de l'industrie militaire a été synonyme d'intégration aux producteurs américains et donc de sous-traitance. Nous verrons plus loin que les relations commerciales et contractuelles qui lient les fabricants canadiens aux grands maîtres d'oeuvre américains laissent assez peu de marge de manoeuvre à l'industrie nationale, surtout au niveau de sa capacité de choisir elle-même sa stratégie de développement. De plus, même au plus fort du programme de remplacement des avions de combat, jamais le Canada n'est parvenu à retrouver le niveau d'emploi qui était le sien avant que ne se militarise son industrie. Pourtant ce projet a couté la bagatelle de 5 milliards de dollars et a été accompagné des promesses les plus généreuses de l'histoire du secteur en ce qui a trait à la création d'emplois.

LA PLACE DE L'INDUSTRIE MILITAIRE

En 1986, l'aérospatiale figurait au 17e rang du secteur manufacturier canadien avec un total de 4,7 milliards de dollars en ventes. L'activité de production y reposait sur 160 entreprises et quelque 53 000 travailleurs[2]. Comme l'illustre la décision récente du ministère de l'Industrie, de la Technologie et de la Science d'injecter plusieurs dizaine de millions de dollars en vue de soutenir un programme de recherche sur un avion à micro-onde et de participer à la base spatiale américaine, ce secteur figure en tête du palmarès des industries de pointe. Comme le Canada occupe le 5e rang au plan international, une part importante de la production canadienne est en effet acheminée vers le marché extérieur. Le Canada poursuit depuis de nombreuses années une politique qui a amené ses entreprises à s'intégrer au complexe industriel américain où elles agissent à titre de sous-traitants. Bien qu'elle ne soit pas aussi prononcée, cette intégration n'est pas sans rappeler celle qui prévaut dans l'industrie de l'automobile. Notons toutefois que plusieurs firmes canadiennes tentent présentement, avec l'assistance gouvernementale, de pénétrer d'autres marchés étrangers. De nombreux efforts ont notamment porté fruit du côté de la France, particulièrement en direction du système Airbus et des composantes de satellites.

Le profil de l'engagement canadien dans l'aérospatiale est cependant assez inégal. Jetons donc un coup d'oeil sur la situation qui prévaut dans les principaux sous-secteurs.

---

2. Canada, Ministère de l'Expansion industrielle régionale, *Etude sur l'industrie aérospatiale dans le contexte nord-américain et mondial*, 1981, texte ronéotypé.

Tableau 5-1
Production aérospatiale de quelques pays (en millions de dollars U.S. courants), 1985

États-Unis	96 200
Grande-Bretagne	8 980
France	7 950
Allemagne	6 160
Canada	3 980
Japon	2 800
Italie	2 180

Source: Chambre de commerce de Montréal, *L'Agence spatiale canadienne à Montréal*, février 1987, p. 30, texte ronéotypé.

L'industrie aéronautique

Le Canada possède un marché civil développé. Le territoire est immense, les liaisons aériennes nombreuses. La flotte civile se composait en 1985 de 4 658 appareils, y compris 249 avions à réaction, 291 avions à turbo-propulsion et 761 hélicoptères. La flotte militaire comptait pour sa part à la même date 634 aéronefs (12 % de la flotte canadienne), aux caractéristiques techniques et technologiques variées (voir tableau 5-2). Plusieurs appareils étant âgés, cette flotte doit faire face à des frais d'entretien élevés et permet d'entrevoir prochainement une période de renouvellement des équipements. Le marché canadien est cependant bouleversé par une politique gouvernementale orientée vers la déréglementation et la privatisation qui a grandement affecté les transporteurs civils. À cause de cela, les maîtres d'oeuvre canadiens de l'industrie aéronautique ont connu autant d'échecs que de succès au cours de la dernière décennie et se sont repliés sur une stratégie très sélective qui restreint l'éventail de leur production.

Les 15 dernières années ont été marquées par une des plus importantes phases de renouvellement de l'équipement militaire depuis la Deuxième Guerre mondiale. Entrepris au milieu des années 70, le programme Aurora a donné lieu à la constitution d'une flotte d'avions de reconnaissance à long rayon d'action. Ce programme a été suivi du contrat controversé des F-18 qui a pour sa part mené au renouvellement de la flotte de chasseurs de combats. Enfin, le cabinet s'apprête à délier à nouveau les cordons de sa bourse en vue cette fois de remplacer ses hélicoptères.

La part de la production militaire a donc fait un saut qualitatif important pour atteindre un seuil critique au cours des dernières années. Selon John Treddenick, 48 % de l'emploi direct du secteur serait attribuable aux activités liées à la défense[3]. L'industrie figure donc parmi les plus dépendantes des contrats de défense.

Tableau 5-2
Les forces aériennes du Canada
Matériel principal

	En opération	En construction	Livre Blanc
Chasseurs CF-18	104	24	
Chasseurs CF-5	58		
Aéronefs maritimes	71		
Hélicoptères tactiques	101		
Hélicoptères de transport tactique	48	50	
Aéronefs de transport stratégique	5		
Aéronefs de recherche	49 (dont 18 Aurora)		6 (Aurora) +
Aéronefs d'entraînement	231		
TOTAL	634	74	

Source: Gouvernement du Canada, Ministère de la Défense nationale, *Défis et engagements, une politique de défense pour le Canada*, Ottawa, 1987, p. 37.

L'industrie dit cependant poursuivre une politique de développement dont la mission est de consolider la place occupée par le Canada dans l'industrie civile, mais, curieusement, cette stratégie s'appuie sur les programmes militaires[4]. On explique généralement cette interaction par l'étroite parenté entre les systèmes civils et militaires utilisés dans l'avionnerie. Il est vrai qu'une part de la recherche et du développement civil est assumée par l'entremise des contrats militaires ou des programmes directement consacrés à la mise au point d'équipements militaires. Le Programme de productivité de matériel de défense (PPIMD), par exemple, a

3. John M. Treddenick, "Regional Impacts of Defense Spending?", dans McDonald, Brian, *Guns and Butter: Defense and the Canadian Economy*, Toronto, The Canadian Institute of Strategies Studies, 1984.
4. Ministère de l'Expansion industrielle régionale, *op.cit*.

injecté dans le secteur des sommes qui ont représenté entre 150 et 200 millions de dollars par année depuis 1980. Le programme semble si bien correspondre aux besoins des entreprises que très peu de demandes sont acheminées vers les autres programmes. Précisons d'ailleurs que le PPIMD a été conçu peu de temps après la signature des accords NORAD et DPSA, à la fin des années 50, avec le mandat explicite de soutenir, sur le marché continental, les entreprises localisées au Canada. Il a donc été utilisé à de nombreuses reprises dans le but de faciliter l'obtention de contrats auprès des maîtres d'oeuvre américains ou, plus simplement, dans le but d'inciter les sociétés américaines à s'implanter au Canada. Selon Bernard et Truchon, l'accent du programme est précisément placé sur les secteurs techniques de la défense qui offrent les meilleures perspectives d'exportation à des fins civiles[5]. Au cours des dernières années le PPIMD a notamment soutenu les avions Challenger, DHC-7, DHC-8, les moteurs civils et militaires PT-6 et PW-100, les systèmes de contrôle de la firme Garrett et la plupart des sous-systèmes de navigation fabriqués au Canada.

Il est indéniable que le PPIMD a contribué à différents moments au développement du marché civil canadien. Il est cependant exagéré d'affirmer que tel est son but premier. L'analyse de l'ensemble des projets subventionnés permet de constater que le PPIMD vise à permettre aux entreprises canadiennes de recueillir la plus grande part possible des contrats militaires exécutés sur le continent, principalement ceux du gouvernement canadien. Dans plusieurs dossiers, sa contribution a été orientée de façon à favoriser l'attribution de sous-contrats à des firmes localisées au Canada dans le cadre de l'exécution de matériel commandé par la Défense nationale. Dans ce sens, il a plus pour mission de veiller au maintien d'un niveau élevé de contenu canadien dans le cadre d'une industrie continentale intégrée que de promouvoir le rayonnement international des fabricants canadiens.

Le marché international canadien est peu diversifié. Environ 85 % du commerce extérieur du Canada est effectué avec les Etats-Unis. Cela fait en sorte que plus de 60 % de la production canadienne est exportée vers ce seul pays (voir tableau 5-3), tandis que 70 % du marché intérieur est approvisionné par des produits américains.

Le rôle dévolu aux firmes canadiennes dans ce marché est surtout un rôle de sous-traitant. En fait, plus de 90 % du commerce extérieur concerne des pièces d'avions, une situation radicalement différente de celle qui prévaut, par exemple, dans le secteur du matériel de transport roulant ou dans

---

5. Jean T. Bernard et Michel Truchon, *Impact du désarmement sur l'économie canadienne*, 1980, texte ronéotypé.

l'industrie navale. L'interrelation avec le marché américain donne d'ailleurs lieu à une présence étrangère plus marquée. Canadair, filiale de Bombardier, est le seul fabricant de systèmes complets sous contrôle national. Toutes les autres grandes sociétés sont des filiales d'entreprises étrangères.

Cette dépendance tire en bonne partie son origine de l'expérience ratée du chasseur de combat CF-105 Arrow, à la fin des années 50. En effet, comme ce fut le cas dans d'autres secteurs très liés à l'industrie de guerre, la fin de la Deuxième Guerre mondiale a précipité l'effondrement de l'aéronautique. Ici également, Ottawa misa sur l'élaboration de programmes de modernisation des équipements militaires, en vue de permettre au Canada de se tailler une place sur le marché mondial de l'armement.

Tableau 5-3
Production de l'industrie aéronautique canadienne et part exportée aux Etats-Unis (1980-1984) ('000 $)

Année	Livraisons	Part exportée aux États-Unis (%)
1980	2 016 360	74
1981	2 720 238	76
1982	2 429 385	69
1983	1 698 007	78
1984	3 280 000	79

Source: Statistique Canada, catalogues nos 31-001 et 65-004.

Le premier projet majeur à voir le jour a été celui du CF-100, produit par la compagnie A.V. Roe, pierre d'assise de la branche aéronautique ontarienne. Six cents avions ont été construits[6]. Les succès du CF-100 consolidèrent d'ailleurs pour un temps l'avantage technologique de l'Ontario sur les autres provinces canadiennes.

Cette réussite incita le cabinet fédéral à centrer sa stratégie de développement en direction des systèmes militaires au détriment de l'avion-

---

6. Monique Audet, *Les dépenses militaires du Canada 1937-1978*, thèse (M.A.), Département des sciences économiques, UQAM, avril 1982, pp. 117-118.

nerie civile[7]. Le successeur du CF-100, l'Arrow, reçut pour mission de permettre aux producteurs canadiens de s'implanter définitivement sur le marché militaire. Le nouvel avion fit appel à différents apports technologiques étrangers. Trois ans après le début du projet, le premier ministre John Diefenbaker fit cependant état d'une projection des coûts quatre fois supérieure aux prévisions initiales[8]. Confronté en même temps à l'obligation de se doter de missiles nucléaires pour participer à l'effort américain destiné à faire contrepoids à l'arsenal soviétique, il aurait fallu, rappelle Ernie Regehr, que le Canada accroisse de 30 % son budget de la défense[9]. L'intérêt mitigé des Américains pour le chasseur canadien et la nouvelle problématique de la défense du territoire aérien du continent introduite par la signature des accords NORAD amena le gouvernement fédéral a abandonner l'Arrow. La décision fut annoncée le 20 février 1959, précipita la faillite de A.V. Roe et la mise à pied de ses 14 000 employés. La panique s'empara littéralement des fabricants d'avions et de pièces canadiens, principalement les dizaines de sociétés engagées à l'époque dans la conception et la fabrication de matériel militaire. Avec l'Arrow venait de s'effondrer le rêve de créer une industrie aéronautique militaire nationale puissante.

Notons par ailleurs que le gouvernement fédéral avait fait le choix, à la fin de la guerre, d'utiliser ses budgets militaires pour favoriser la croissance économique. Dans ce sens, la mission du Arrow était plus de donner à l'économie un instrument de pénétration du marché international de la défense que de répondre aux besoins spécifiques du pays. Il fallait donc trouver une alternative susceptible de répondre à ces attentes. Comme d'habitude, la solution vint des Etats-Unis.

Au niveau politique, les Américains souhaitaient depuis plusieurs années déjà resserrer les termes de leur collaboration avec le Canada. La mise au point dans le camp soviétique d'avions à long rayon d'action et de missiles balistiques intercontinentaux exigeaient selon eux, la mise en place d'un nouveau réseau de détection et d'une force d'interception dans la zone septentrionale du continent, exigeant conséquemment la collaboration du Canada. Une entente fut conclue en 1958 avec la signature du NORAD; en vertu de ce pacte, les deux pays confiaient la coordination des forces aériennes de défense à un commandement réuni et s'engageaient à construire une

---

7. Voir John Warnock, *Partners to Behemoth*, Toronto, New Press, 1970, p. 232.
8. Voir Jon B. McLin, *Canada's Changing Defense Policy 1957-1963*, Baltimore, Johns Hopkins University Press, 1967.
9. Ernie Regehr, *op.cit*, pp. 46 et ss.

nouvelle ligne de radar dans le Nord canadien. Non seulement NORAD intégrait-il les forces aériennes de défense du continent, mais il pavait la voie à une certaine harmonisation des systèmes aériens des deux pays. En effet, à la signature de l'accord, les Américains qui avaient boudé le Arrow canadien firent don de 66 CF-101 à la RCAF et s'engagèrent à acheter une centaine de CF-104 fabriqués sous licence par la société Canadair. Le Pacte permettait conséquemment de limiter les dégâts du projet Arrow tout en solutionnant le problème budgétaire du Canada. L'industrie nationale se voyait implicitement proposer une stratégie orientée vers les technologies américaines dans un rôle encore mal défini, mais que l'on pouvait déjà, à l'époque, imaginer derrière l'enseigne de la sous-traitance. Le NORAD venait de marquer une étape importante de l'intégration de l'industrie aéronautique de défense du Canada à celle des Etats-Unis.

Comme nous venons de l'expliquer, NORAD postulait implicitement un certain partage de la production entre les deux pays des systèmes mis à contribution pour la défense continentale. Toujours préoccupé par l'objectif de créer une économie nationale forte, s'appuyant notamment sur les investissements américains directs, le gouvernement canadien craignit que cette relation ne se traduise par la disparition de son industrie aéronautique nationale. Il rechercha une formule susceptible de préserver l'accès au marché américain, en élargissant la collaboration esquissée pour le projet CF-104. On fit des représentations auprès des autorités américaines pour que soit consenti un accès accru aux sociétés canadiennes sur le marché de la défense américain. C'est précisément ce que prétend faire le Defence Production Sharing Agreement (DPSA) signé un an après le NORAD.

La situation qui résulta de cette nouvelle configuration industrielle eut des conséquences imprévues sur le profil de la répartition régionale des contrats. Au cours des années 50, en tant que fer de lance de l'industrie aéronautique militaire nationale, l'Ontario s'était orientée vers la fabrication de systèmes à fort contenu américain. Les producteurs de cette province purent donc tirer bénéfice de leur relations privilégiées avec les grands fabricants américains.

Le tableau 5-4 présente les 15 sociétés les plus importantes du secteur impliquées dans la fabrication militaire. Ensemble, ces 15 entreprises ont monopolisé environ 80 % des ventes militaires totales. Les autres producteurs, au nombre approximatif de 150, peuvent à quelques exceptions près être considérés comme des sous-traitants d'importance mineure. Parmi ces exceptions, mentionnons la société Litton System, dont les activités de défense sont très vastes et Marconi, qui tend de plus en plus à s'imposer comme un des centres d'expertise aéroélectronique canadien. Cette entreprise demeure cependant principalement rattachée à la fabrication d'équipement de communication.

Tableau 5-4
Les grandes entreprises militaires de l'aéronautique au Canada 1980-1986

Entreprises	Province	Systèmes	Propriété	Valeur ('000,000 $)
Litton	Ont.	ILS/MLS Syst. de commande		700
Daf Indall	Ont.	Syst. atterrissage Hélicoptères	Rio-Tinto (G.-Bretagne)	600
Marconi	Qué.	ILS/MLS Pièces électroniques	GE G.-Bretagne	250
De Havilland	Ont.	Buffalo, DHC-5 DHC-7, DHC-8 Structures d'avions	Boeing (É.U.)	450
Canadair	Qué.	CL-600, Cl-601, CL-89, CL-289 CL-217, Structures Entretien CF-18	Bombardier (Qué.)	500
Bristol Aerospace	Man.	Éléments de structures Révision, réparation Composants	Rolls Royce (G.-Bretagne)	350
Raytheon of Canada	Ont.	Radars	Raytheon USA (É.U.)	350
Pratt & Whitney	Qué.	Moteurs	United Tech. É.U.	330
McDonnell Douglas	Ont.	Composants, éléments de de structure	Mc Donnell D. (É.U.)	200
Garrett MFG.	Ont.	ILS, Syst. de contrôle micro-circuits		200
Hawker-Siddeley	Ont.	Réparation composants de moteurs	Hawker-S (G.-Bretagne)	200
Bendix-Avelex	Ont.-Qué.	Pièces de moteurs syst. alignement	Allied Corp (É.U.)	150
Canadian General	Ont-Qué.	Pièces de moteurs	GE (É.U.)	150
Spar Aero	Ont-Qué.	Satellites etc.	Can.	120
Standard Aero	Man.	Révision, réparation de moteurs	Avcorp. (Can.)	110
CAE Electronics	Qué.	Simulateurs	CAE Indust. (Can.)	100
Boeing of Canada	Ont.	Éléments de structure	Boeing (É.U.)	80
Imp. Group	N-É	Révision, réparation		80
Bell Textron	Qué.	Hélicoptères Pièces	Bell Textron (É.U.)	N.D.

Source: GRIMR, compilation de données publiques.

Trois firmes seulement fabriquent des systèmes complets. Il s'agit de De Havilland, Canadair et Bell Textron. Ces trois maîtres d'oeuvre peuvent être considérés comme le coeur de l'industrie canadienne. Leur rôle en recherche et développement est fondamental. Ils possèdent des centaines de fournisseurs et sous-traitants. Ils exportent en outre une partie substantielle de leur production. Mentionnons enfin que Canadair a décroché récemment la gérance du contrat d'entretien des F-18, d'une valeur de 1,3 milliard de dollars. Cela la place en tête des services de réparation-entretien des avions militaires canadiens et en fait très certainement le centre aéronautique le plus diversifié au pays.

Une deuxième catégorie d'entreprises, composée cette fois de sous-traitants spécialisés, joue également un rôle de premier plan au sein du complexe aéronautique militaire canadien. Ce second groupe est presque intégralement constitué de filiales étrangères: DAF Indall, Raytheon of Canada, Pratt and Whitney, McDonnell Dougals, Bendix-Avelex, CGE, Boeing of Canada. Parmi les entreprises du tableau 5-4, seule CAE est sous propriété canadienne[10]. Ces filiales "étrangères" ont développé une expertise très spécialisée. Cela fait en sorte qu'elles jouissent d'une certaine autonomie face à leur maison mère. Elles effectuent leur propre recherche et développement. Pratt and Whitney, par exemple, possède un des plus importants centres de recherche au pays. Cette société vend plus de 40 types de moteurs dans plus de 140 pays.

Certains producteurs se sont cependant spécialisés dans la production militaire ou assument la réalisation d'équipements dont la mission est prioritairement militaire. Parmi ceux-ci, mentionnons Bendix-Avelex, Spar Aerospace, Raytheon of Canada, Rolls Royce Canada et la division aéronautique de Canadian Marconi.

Au troisième niveau, nous retrouvons les sociétés manufacturières spécialisées qui assument la réalisation de certaines composantes (pièces moulées, tôlerie, usinage, etc.). De telles entreprises existent en nombre élevé dans les principaux centres de production du pays. Leur localisation dépend généralement de la présence de firmes de premier niveau. C'est donc à Montréal et à Toronto qu'on les retrouve en plus grand nombre.

La structure de l'industrie aéronautique est caractérisée par une grande complexité des filières de production. La diversité des activités des entreprises les plus grandes et le rôle majeur qu'y jouent les systèmes commerciaux a

---

10. Louis Caouette et autres, *Industrial Research in Quebec, Key to Innovation, Final Report*, Montréal, The Coopers and Lybrand Consulting Group, 6 novembre 1985.

pour effet d'y circonscrire de façon singulière le rôle de l'industrie militaire. D'ailleurs, l'impact de l'industrie militaire sur le secteur aéronautique est ambigu. Modeste en apparence, cet impact s'accroît lorsqu'est prise en considération la stratégie de spécialisation des firmes canadiennes dans des créneaux technologiques avancés. La spécialisation dépend directement des stratégies industrielles gouvernementales et de l'usage plus prosaïque qui est fait des programmes de subventions aux entreprises. Le cycle du renouvellement technologique fait en sorte que les firmes les plus dynamiques sont inévitablement attirées par le champ militaire et les fonds de recherche et développement qui y sont disponibles. Chaque nouveau programme militaire fait croître d'un échelon l'engagement des sociétés canadiennes dans la production des systèmes d'armement. Nous verrons plus loin que certaines entreprises se militarisent plus vite que d'autres.

L'industrie spatiale

Selon l'OCDE, l'industrie spatiale peut être considérée comme une industrie en émergence[11]. Cette industrie est partagée en trois blocs: la fabrication de satellites, celle de lanceurs et la construction de bases terrestres. Le Canada, pour sa part, n'est engagé de façon significative que dans le seul domaine de la fabrication et conception de satellites de communication. Il a en outre développé quelques expertises subsidiaires du côté des bases au sol mais est totalement absent du secteur des lanceurs. Néanmoins, comme le démontre le tableau 5-5, en 1983 le budget spatial total du Canada le plaçait au 5e rang, derrière les États-Unis, la France, l'Allemagne et le Japon.

Selon une source canadienne, les entreprises implantées au pays détiendraient, depuis 1986 environ,10 % du chiffre d'affaires mondial estimé à 4 milliards de dollars annuellement; 3 500 emplois seraient directement tributaires de cette industrie[12]. Elle est donc 10 fois moins importantes que l'industrie aéronautique. Notons que le commerce extérieur représente ici également une composante fondamentale du marché, soit environ 69 %. C'est ce que confirme le tableau 5-6. Par ailleurs, le tableau 5-7 fait ressortir l'importance relative des principaux sous-secteurs de l'industrie spatiale canadienne.

---

11. OCDE, *L'industrie de l'espace, question liées aux échanges*, Paris, OCDE, 1985.
12. Association des industries aérospatiales du Canada, *L'aérospatiale: une occasion pour le Canada*, Ottawa, 1987.

Tableau 5-5
Répartition mondiale des budgets spatiaux pour les principaux pays, 1983 (en millions de dollars U.S.)

Pays	Budget spatial	Chiffre d'affaires total
États-Unis	15 048	5 900
France	404	380
Allemagne	299	250
Japon	477	400
Canada	109	150
Grande-Bretagne	98	180
Italie	109	120
Inde	98	40
Pays-Bas	53	25
Suède	40	20
Belgique	34	20

Source: OCDE, *L'industrie de l'espace, questions liées aux échanges*, Paris, OCDE, 1985, p. 39.

Tableau 5-6
Ventes de l'industrie spatiale

Année	Ventes totales (millions $ can.)	Marché intérieur (%)	Marché extérieur (%)
1981	123	44	56
1982	196	34	65
1983	276	29	70
1984	313	32	67
1985	345	31	69
1986	410	30	69

Source: Association des industries aérospatiales du Canada, *L'aérospatiale: une occasion pour le Canada*, Ottawa, 1987, p. 9.

Cette position implique une très forte interrelation avec les grands producteurs mondiaux. Ainsi le Canada est engagé dans le programme de la navette spatiale et il négocie présentement les termes de sa contribution au programme de la base spatiale américaine. Ce dernier projet devrait donner lieu à un investissement total de 15 milliards dollars impliquant une participation canadienne évaluée à 1,2 milliard. Dans les deux dossiers, l'expertise canadienne concerne principalement les centres de manipulation (bras mobiles). Le Canada participe également à une dizaine de programmes pilotés par l'Agence spatiale européenne dont la valeur totale au plan national a impliqué une somme de 30 millions de dollars en 1987[13]. Finalement, le gouvernement canadien soutient depuis de nombreuses années quelques projets de collaboration avec l'URSS[14].

Tableau 5-7
Répartition des ventes de l'industrie spatiale canadienne, 1981-1985
(en pourcentage)

Sous-secteurs	%
Télécommunications	43,7
Systèmes de contrôle	33,4
Science spatiale	14,2
Base spatiale	1,8
Autres	6,9

Source: Ottawa, Ministère de l'Expansion industrielle régionale, *Space Industry Briefing*, non paginé, 2 novembre 1987, texte ronéotypé.

Actuellement, les programmes qui recueillent la plus grande partie des fonds ont d'ailleurs pour objet de favoriser une participation plus active du Canada aux grands programmes internationaux. Nous désirons à cet égard attirer l'attention sur le contenu militaire potentiel de certains de ces projets. Radarsat et ERS-1, par exemple, auront pour but de mettre en orbite des instruments électroniques d'observation et de détection au sol. Le ministère de la Défense nationale du Canada et les forces de l'OTAN s'intéressent de très près à cette technologie. Radarsat a obtenu l'aval du cabinet fédéral en 1988.

---

13. Leon Bronstein, Canada Centre for Remote Sensing, Department of Energy, Mines and Ressources, *Communication, Space Industry Briefing*, Montréal, 2 novembre 1987, texte ronéotypé.
14. Voir entre autres Claude Lafleur, "Doit-on s'inquiéter de la domination soviétique", *La Presse*, 3 octobre 1987.

La mission de la base spatiale américaine soulève également des interrogations. Rappelons à cet égard que les Américains ont révisé en avril 1987 leur projet initial en vue de laisser la porte ouverte à un usage militaire des installations; ils se sont même déclarés prêts à renoncer au caractère international du projet en vue de rendre possible un tel usage. L'objectif semble être à cet égard d'intégrer la base au projet IDS.

Le Canada ne compte qu'un seul acteur industriel de calibre international. Il s'agit de la société torontoise Spar Aerospace. Non seulement Spar agit-elle à titre de seul maître d'oeuvre du secteur, mais elle est en outre le principal administrateur des programmes gouvernementaux. Elle représente à elle seule environ 70 % de toute l'industrie spatiale canadienne.

La problématique régionale

L'industrie aérospatiale fait l'objet de luttes interrégionales virulentes. Il s'agit d'un des rares secteurs où le rapport de force est à peu près égal entre le Québec et l'Ontario. Le Québec contrôle 45 % de la production, l'Ontario, 40 %. Les deux provinces disposent d'une organisation industrielle comparable, qui place souvent leurs entreprises respectives en concurrence directe. Ainsi a-t-on assisté au cours des dernières années à une lutte épique sur les dossiers les plus stratégiques comme celui de l'implantation de Airbus, les F-18 ou la localisation de l'Agence spatiale.

L'activité ontarienne est de plus en plus axée sur les "contrats mondiaux" qui s'intègrent à un vaste réseau sous contrôle de maîtres d'oeuvre américains. Bien qu'une part importante des activités soit civile, les producteurs ontariens occupent une place prépondérante dans l'industrie militaire. C'est ce que démontre le tableau 5-8. En fait, ces producteurs sont les principaux bénéficiaires de ce marché. Les technologies militaires du Canada sont d'origine américaine. Etant greffées aux réseaux américains, les firmes ontariennes sont donc en position avantageuse chaque fois qu'arrive un contrat militaire important. Par ailleurs, cette province occupe le haut du pavé dans le sous-secteur de l'aéroélectronique rattaché à la fabrication des satellites et radars (Litton, Garrett, CAE, Honeywell, Rockwell, Magna International). Elle jouit en outre d'une position avantageuse dans certains domaines très pointus comme les systèmes à atterrissage et décollage courts, les trains d'atterrissage et la fabrication de certains types de moteurs.

L'activité québécoise est pour sa part structurée autour de Pratt & Whitney et de Canadair. Ici également, la part du lion est accaparée par des systèmes commerciaux (civils). On observe cependant un intérêt grandissant pour le secteur militaire. À ce dernier chapitre, les producteurs québécois semblent moins dépendants des États-Unis au plan commercial que ne le sont les ontariens. Les firmes québécoises vendent en effet leurs produits dans plusieurs pays de l'OTAN. Le marché international repose principalement sur le Challenger, le CL-215 et certains types de moteurs. Quelques entreprises, comme Spar Aerospace (satellites) et Marconi (trains d'atterrissage, systèmes de communication) maintiennent des ouvertures parallèles dans l'aéroélectronique. Le Québec tente depuis quelques années avec un certain succès de compenser sa position désavantageuse face aux systèmes américains par la mise en place de relations commerciales plus intenses avec l'Europe.

Tableau 5-8
Répartition des ventes militaires par province, industrie aérospatiale 1980-1985 (en pourcentage)

Provinces	1980	1981	1982	1983	1984	1985
Nouvelle-Écosse	2,2	2,0	1,3	0,7	1,1	4,7
Nouveau-Brunswick	—	—	0,1	—	0,1	2,4
Québec	40,8	24,2	37,2	17,1	25,5	20,1
Ontario	45,6	64,2	39,8	61,7	67,0	60,5
Manitoba	10,1	6,2	20,7	19,5	4,3	6,5
Alberta	1,0	3,4	0,9	0,9	1,8	2,9
Colombie britannique	0,2	0,1	—	—	0,1	1,0

Source: Compilation GRIMR.

L'attribution du contrat des F-18 au début de la présente décennie a contribué au renforcement de l'industrie ontarienne. Les milieux d'affaires du Québec ont d'ailleurs fortement contesté ce contrat[15]. Selon une évaluation serrée faite par la ville de Montréal, l'entente entre le gouvernement canadien et la firme McDonnell Douglas (titulaire du contrat) prévoyait au départ des retombées de 1,5 milliard de dollars au Québec contre 1,3 milliard en Ontario, et environ 400 millions dans le reste du Canada. Cette entente n'ayant cependant pas été intégrée au contrat les retombées qui ont atteint dans la

15. COPEM, *Retombées du programme F-18, Boeing et frégates*, mémoire préparé par le groupe de travail COPEM, avril 1982.

réalité 5 milliards ne se sont pas réparties comme prévu[16]. Le surplus des investissements a été accaparé presque en totalité par l'Ontario. La part de l'Ontario est passée de 1,2 milliard à près de 3 milliards. Le Québec, qui devait bénéficier de 50 % du contrat, en a recueilli moins du tiers. La nature des retombées technologiques a également été modifiée au désavantage des firmes québécoises. Les gains de l'Ontario ne se sont pas réalisés qu'au seul détriment du Québec: le Manitoba et la Nouvelle-Écosse ont également fait les frais du partage.

Nous devons toutefois signaler que l'arrivée au pouvoir des conservateurs en 1984 a donné lieu à un certain retour du pendule en faveur des régions. Le Québec s'est vu octroyer en 1987 le contrat d'entretien des F-18 (1,3 milliard de dollars sur 20 ans) au détriment du Manitoba qui a obtenu, pour sa part, un prix de consolation avec l'entretien des F-5 (500 millions). Au Québec, la société Bell Hélicoptères s'est en outre vu confier un important sous-contrat dans le cadre du projet de renouvellement des hélicoptères de la Marine. Ces deux dernières décisions vont éventuellement donner lieu à une nouvelle configuration de la répartition des dépenses.

La concurrence entre les provinces est donc vive et découle largement de l'attitude qu'adopte le gouvernement canadien lorsque arrive l'échéance d'un contrat. Le cabinet a confié en 1982 au ministère de l'Expansion industrielle et régionale la responsabilité de rédiger des plans de spécialisation pour chaque région. En théorie, la stratégie commerciale d'Ottawa doit être établie en harmonie avec ces plans. La version 1987-1988 du plan prévoit un partage de la production qui favorise la polyvalence des firmes ontariennes. Par opposition, ce plan définit une mission beaucoup plus circonscrite aux firmes québécoises (dans les systèmes hydrauliques et électro-mécaniques, les matériaux composites et les pièces de précision)[17]. Les créneaux mentionnés dans la liste des priorités ontariennes sont plus diversifiés. Ils concernent en outre les systèmes de contrôle de vol et les pièces de haute technologie. La spécialisation régionale n'est pas arrivée à son stade final. Chaque région risque, au cours des prochaines années, de connaître une évolution de sa structure de production en direction de domaines de plus en plus pointus. Encore ici, les contrats militaires joueront un rôle de premier plan dans l'exécution de la stratégie gouvernementale.

---

16. Ce qui amènera une critique virulente à l'endroit de l'incompétence des fonctionnaires chargés de négocier le contrat.
17. Department of Regional Industrial Expansion, *Investment, Development, Strategies, Priorities and Opportunities 1987-88*, 1987, p. 16, texte ronéotypé.

LA DYNAMIQUE QUÉBÉCOISE

Le Québec recueillait, en 1985, 20 % des contrats de défense, contre 60 % pour l'Ontario. Au début des années 80, soit avant l'octroi du contrat des F-18, l'écart était beaucoup moins prononcé: 40 % pour le Québec contre 46 % pour l'Ontario. Le Québec s'est néanmoins toujours considéré déficitaire dans le partage des contrats militaires.

Un petit noyau d'entreprises que nous avons regroupées au tableau 5-9 a amorcé il y a quelques années un virage résolument militaire avec pour objectif de recueillir une partie de la manne associée au renouvellement des équipements de défense. Chez Canadair par exemple, on mise de plus en plus sur le militaire. L'entreprise a obtenu un contrat de 410 millions de dollars (contenu établi à 40 % pour Canadair contre 40 % à l'Allemagne et 20 % à la France) pour la fabrication d'appareils de detection CL-289 auquel s'est ajouté le contrat d'entretien des F-18[18]. Canadair s'est par ailleurs dotée d'une division défense. Notons que la société Pratt & Whitney et Spar Aerospace sont dans une position un peu semblable. Ces firmes sont engagées dans un processus de militarisation de leur production dont les conséquences pourraient être déterminantes dans l'avenir.

D'autres entreprises telles Bendix-Avelex et Marconi se consacrent totalement à la production militaire. Leur position dans l'aéronautique est cependant moins stratégique. Marconi étant plutôt spécialisée en électronique, nous décrirons ses activités industrielles dans le prochain chapitre. Retenons pour l'instant qu'elle possède une division en avionique qui se voue principalement à la conception et à la fabrication d'instruments de bord et de contrôle de missiles. Elle est en outre impliquée dans la fabrication de systèmes militaires de repérage.

Bendix agit principalement comme sous-traitant pour différents systèmes aériens conçus principalement par Pratt & Whitney, General Electric et d'autres sociétés américaines. Cette entreprise portait autrefois le nom de Aviation Electric. Elle a, depuis, successivement été achetée par Bendix Corporation, puis Allied Corporation et fait partie, depuis une fusion réalisée en 1983, de l'empire industriel Allied Signal Corporation. Il s'agit donc d'une filiale américaine. L'atelier de ville Saint-Laurent produit principalement des systèmes de régulateur de combustion et de débit d'essence. L'entreprise dessine et fabrique également des systèmes de navigation et

18. Claude Turcotte, "Canadair obtient son plus important contrat militaire, 410$ millions pour des fusées-espions", dans *Le Devoir*, 24 novembre 1987.

d'alignement de tir. Elle employait environ 550 employés en 1978, la crise de 1981 a cependant fait chuter ce nombre à 275. Le niveau d'emploi a remonté depuis. Il se situe actuellement à 325[19].

Les chefs de file de l'industrie québécoise recueillent une part appréciable des budgets militaires versés au Québec. À elles seules, Canadair, Pratt & Whitney, Spar Aerospace, Bendix et CAE ont touché plus de 80 % des budgets militaires entre 1980 et 1985. Une partie de ces sommes a bien entendu été acheminée aux sous-traitants, mais la majorité des fonds ont été utilisés dans les usines principales.

Le haut contenu technologique de l'industrie aéronautique fait que les industries ont tendance à se regrouper dans les centres où l'environnement technologique (centres de recherche, universités, etc.) est propice. L'importance du commerce extérieur réalisé par l'industrie l'incite par ailleurs à localiser les centres de production à proximité des circuits de communication internationaux. L'aéronautique s'est implantée presque exclusivement dans la région montréalaise, tout comme en Ontario elle est concentrée à Toronto et à Ottawa. Le Grand Montréal possède 60 % de l'emploi manufacturier du Québec, mais 90 % de l'emploi du secteur aéronautique. Ce secteur a d'ailleurs été identifié depuis longtemps comme un des domaines manufacturiers les plus susceptibles de contribuer à la redynamisation de la métropole québécoise[20]. La campagne menée par les milieux d'affaires de Montréal en vue d'attirer le centre spatial canadien apparaît à cet égard révélateur de la place occupée par l'industrie dans les plans stratégiques de l'administration montréalaise[21].

En conclusion, la position du Québec dans l'industrie aéronautique militaire apparaît stratégique à plusieurs égards malgré le fait que la province occupe une place moins importante que celle de l'Ontario. Or, le Canada cherche dans ce domaine à se placer en position de force au plan mondial et mise sur l'émergence de centres d'expertise de calibre international. Certaines firmes québécoises doivent faire face à une vive compétition des sociétés ontariennes et américaines. Dans ce contexte, les contrats militaires se sont vus confier un rôle de levier, dont la mission est de soutenir la spécialisation des firmes canadiennes. Mais il n'est pas évident que cette mission puisse être correctement remplie. Le Québec jouit présentement d'un soutien indéniable

---

19. USAF Systems Command Liaison Office, *Guide to Canadian Aerospace Related Industries*, Ottawa, 1987.
20. Voir OPDQ, *Esquisse de la région de Montréal*, collection "Les schémas régionaux", Québec, OPDQ, 1977.
21. Comité sénatorial sur la défense, *op.cit.*

dans quelques filières qui lui permettent de se démarquer au plan national. Ses filières principales reposent cependant sur un nombre restreint d'entreprises qui sont trop dépendantes face à la production militaire.

Tableau 5-9
Les entreprises québécoises et la production militaire dans l'aérospatial, 1980-1986

Entreprise	Activité	Propriété	Valeur des contrats ('000,000 $)
Canadair	CL-600, CL-601 CL-89, CL-289 CL-217, Structures Entretien CF-18	Bombardier	500
Pratt & Whitney	Moteurs	United Technologies (É.U.)	330
Marconi	ILS/MLS Pièces électroniques		250
Bendix-Avelex	Pièces de moteurs Syst. alignement	Allied-Corp. (É.U.)	150
Canadian General Electric	Pièces de moteurs	GE (É.U.)	N.D.
Spar Aerospace	Satellites	(Can.)	120
CAE Electronics	Simulateurs	CAE Industries (Can.)	100
Bell Textron	Hélicoptères, pièces	Bell Textron (É.U.)	N.D.
Héroux	Trains d'atterrissage	(Qué.)	N.D.
Rolls-Royce	Révision de moteurs	Rolls-Royce (G.-Bretagne)	N.D.
Innotech Aviation	Commercialisation	(Can.)	N.D.
Godfrey Howden		Howden Group (G.-Bretagne)	N.D.
Avcorp	Composants	(Can.)	N.D.
Lucas Industries	Valves, contrôles de débit d'essence	Lucas (G.-Bretagne)	

Source: GRIMR, compilation de données publiques.

C'est d'ailleurs cette militarisation croissante des producteurs québécois qui nous préoccupe. L'exemple qui nous est présenté par les usines les plus dépendantes de la production militaire, comme Bendix-Avelex ou Marconi, montre que l'éloignement des marchés civils déstabilise la production et perturbe l'emploi. Pour l'instant, le problème est circonscrit mais l'aventure du CF-105 Arrow prouve qu'il est très risqué d'investir massivement dans les programmes militaires. Cette malheureuse expérience devrait servir d'inspiration aux grandes sociétés comme SPAR, CAE, Canadair et Pratt & Whitney qui semblent actuellement miser aveuglément sur la croissance du marché militaire. Mais rien ne garantit que le financement en R-D suivra le même cheminement, ce qui pourrait bien provoquer des problèmes structurels majeurs au sein des entreprises. On peut déjà présumer que les usines les plus militarisées seront lourdement affectées par la réorientation du secteur. Les autres entreprises pourraient bien être confrontées à une situation de divorce entre la production et la recherche, ce qui pourrait mener à une perte de compétitivité. L'industrie aérospatiale en est donc à un point tournant de son histoire. Souhaitons que l'exemple de l'industrie navale saura lui insuffler l'inspiration nécessaire à la poursuite de sa croissance.

LES GRANDS ACTEURS INDUSTRIELS

Canadair

La société Canadair a été constituée à la fin de 1944 par la société américaine General Dynamics. L'avionnerie s'est très rapidement engagée dans la production militaire. Contrairement à plusieurs firmes ontariennes qui se sont laissé entraîner sur la voie de la spécialisation, elle a maintenu après l'épisode du Arrow sa production dans les systèmes complets civils et mixtes (civils-militaires)[22]. Sous la direction de General Dynamics, l'entreprise est demeurée fortement rattachée au domaine militaire, autant d'ailleurs dans le secteur de la production que dans celui de l'entretien.

Dans le but d'éviter sa fermeture, le gouvernement canadien s'est porté acquéreur de Canadair en 1976. Pendant les 10 années qui ont suivi, il l'a maintenue à force de subventions. Considérée comme un des symboles de l'incompétence et de la non rentabilité des entreprises publiques, la nouvelle société d'Etat a participé à divers plans de réorganisation qui ont

---

22. Voir USAF Systems, *op.cit.*

périodiquement donné lieu à l'injection massive de fonds publics. Au total, le gouvernement fédéral y a investi 2,1 milliards de dollars en vue de la remettre à flot et lui permettre de se tailler une place dans un créneau rentable. Après diverses expériences malheureuses, dont des tentatives de rapprochement avec des constructeurs américains et européens, elle a trouvé la rentabilité avec la mise en production du Challenger, un avion d'affaires, devenu également avion de surveillance et de transport militaire.

Canadair est profitable depuis 1983, suite à l'effacement des livres de la compagnie d'une dette de plus de 1,3 milliard de dollars. La relance de l'entreprise n'est pas étrangère à la reprise des investissements militaires dans le secteur de l'avionnerie. Canadair en fait fabrique des composantes de plusieurs avions militaires dont le C-5B, le F-5, le F-18, le T38, le EF-111, le P-3C et le F-15[23].

Canadair construit des versions militaires du Challenger et du CL-215 qui ont été vendues à l'armée canadienne et exportées vers les États-Unis et l'Europe[24]. Par ailleurs, elle a mis au point au milieu des années 70 un système téléguidé de surveillance (CL-89 vendu à 500 exemplaires depuis 1972) qui lui a permis de se hisser dans le peloton de tête mondial pour ce genre d'appareils. Deux nouvelles générations de l'appareil, soit les CL-289 et CL-217, ont permis à la société de percer sur le marché militaire américain. Entre temps, toutefois, elle a changé de propriétaire. La décision du gouvernement fédéral de privatiser certaines sociétés d'État en a fait une des cibles désignées pour un passage au secteur privé. Après diverses tergiversations, la société d'État a été vendue en août 1986 à l'entreprise québécoise Bombardier pour une somme de 120 millions de dollars, soit un prix deux fois inférieur à sa valeur aux livres. Sous la direction de Bombardier, Canadair a récolté ce qui avait été semé sous l'administration précédente. Elle a vendu de nouveaux Challenger, négocié d'importants contrats d'exportation des systèmes de surveillance et décroché un contrat de 1,6 milliard de dollars sur 20 ans consacré à l'entretien des F-18. Selon le journal *Les Affaires*, elle aurait ainsi connu la meilleure année de son histoire en 1987.

L'intérêt à long terme de Canadair pour les marchés militaires passe par la filière des systèmes de reconnaissance téléguidés. Quatorze appareils ont été vendus à l'armée américaine à la fin de 1987. Ce contrat, partagé entre la France, la République fédérale d'Allemagne et Canadair implique pour

---

23. Canadair, *Rapport annuel 1983*.
24. Canada, ministère des Affaires extérieures, *Guide des produits de défense du Canada*, Ottawa, 1987.

l'instant un budget de 410 millions de dollars. Le marché est estimé à plus de 800 millions à l'échelle de l'OTAN[25]. L'entreprise s'est également associée à la société Aéronautique de France en vue de soumissionner pour le contrat de remplacement des hélicoptères Seaking d'une valeur estimée de 2 milliards de dollars. Plus récemment, elle a signé une entente avec Airbus dans le but, cette fois, de devenir la tête de pont de la filière technologique française civile en Amérique du Nord. On sait pour l'instant peu de choses de cette entente, sinon qu'elle permettra à la firme montréalaise de réaliser des travaux d'entretien et d'assemblage sur certains modèles du fabricant français. Des contrats militaires suivront probablement. Environ 20 % du chiffre d'affaires actuel est tributaire des contrats militaires.

Pratt & Whitney

Pratt & Whitney, autrefois United Aircraft, est une filiale à part entière de United Technologies, un des plus puissants groupes industriels américains et une des figures de proue du complexe militaro-industriel continental. Pratt & Whitney s'est établie au Québec en 1928. A l'origine, l'entreprise agissait à titre d'atelier de révision et réparation de moteurs à piston fabriqués aux États-Unis. Son arrivée fut à l'époque associée à la nécessité d'implanter au Canada différents centres de services pour les compagnies d'aviation volant sur des aéronefs de conception américaine[26].

La guerre n'eut pas chez Pratt & Whitney autant d'importance que pour d'autres producteurs. La filiale canadienne de United Technologies résista en effet à la tentation de diversifier le champ de ses activités pour demeurer fidèle à sa mission originale. Mais, au cours des années 50, le succès éclatant du moteur PT-6 sur le marché fit d'elle un des plus importants producteurs canadiens de l'industrie aéronautique. Elle se hissa notamment dans le peloton de tête des centres de recherche et développement du secteur.

Le contexte de la guerre du Vietnam, en dynamisant le marché militaire, ouvrit des avenues nouvelles à l'atelier. Le PT-6 fut adapté aux besoins militaires, on commença la production de diverses pièces de moteurs militaires, et une importante percée fut réalisée dans la production de moteurs d'hélicoptères, grâce à une association avec la société américaine Bell Textron. L'éventail de la production civile et militaire s'élargit par la suite.

---

25. Canadair, *op.cit.*
26. Bombardier, *op.cit.*

Une grève très dure ébranla l'entreprise en 1973. Cette grève est d'ailleurs devenue un des symboles de la combativité ouvrière québécoise. L'état de détérioration avancé des relations de travail dans l'entreprise exigeait des changements de fonds. Une partie importante du management fut remplacée et la raison sociale modifiée. Pratt & Whitney obtint également une autonomie accrue face à la maison mère américaine[27].

La décision canadienne de renouveler la flotte d'avions de chasse et d'acquérir des avions de reconnaissance à long rayon d'action a dégagé de nouvelles perspectives à long terme dans le secteur de la fabrication de moteurs. Pratt prit notamment la tête d'un consortium québécois dans le but d'obtenir la gérance du nouveau chasseur. Elle se transforma pour la circonstance en promoteur de l'avion CF-16 fabriqué conjointement par General Dynamics et United Technologies. La décision d'Ottawa de privilégier le F-18 de McDonnell Douglas a anéanti sa stratégie en l'obligeant à se tourner à nouveau vers le marché d'exportation. Elle fabrique néanmoins de nombreux moteurs militaires destinés aux avions F-102B, F-106, F-16, F-15, B-52 et aux hélicoptères de la société américaine Sikorsky.

La production de conception locale et les sous-contrats de Pratt fournissent de l'emploi à 8 000 travailleurs, dont près de 2 000 sont affectés à des tâches de recherche et développement. Les ventes totales de l'entreprise se sont chiffrées à près de 980 millions de dollars en 1987. Quatre-vingt pour cent de la production est exporté et environ 15 % est redevable à des contrats d'origine militaire[28]. L'entreprise travaille présentement au renouvellement complet de ses produits et il semble que sa stratégie soit d'accorder une place accrue aux produits militaires. D'importantes sommes d'argent ont été consacrées par la Défense à la mise au point d'un nouveau moteur d'hélicoptères (le PW-200) qui équipera très probablement les hélicoptères de combat que le Canada prévoit acquérir sous peu.

Spar Aerospace

L'histoire de Spar débute en 1967, suite à la décision de la société ontarienne De Havilland de se départir de sa division Special Projects and Applied Research (SPAR), dont la mission, à l'époque, couvrait un secteur étendu de la haute technologie. L'entreprise comptait 250 employés et réalisait des

---

27. Syndicat Pratt and Whitney Canada, *Dossier sur l'entreprise*, 1987, texte ronéotypé.
28. Louis Caouette et autres, *op.cit.*

revenus totaux de 5 millions de dollars. Deux acquisitions successives, celle de York Gears en 1969 et de Astro Research en 1972, ouvrirent des perspectives de diversification au groupe, notamment en direction d'une présence mieux enracinée dans l'industrie spatiale[29].

Une étape importante fut franchie en 1977 au moment de l'acquisition des installations de la compagnie RCA, localisée à Sainte-Anne-de-Bellevue, auxquelles s'ajoutèrent certains actifs de Northern Telecom[30]. RCA qui est avec Hugues Aircraft un des grands de l'industrie des satellites en Amérique du Nord, a joué un rôle de premier plan dans le secteur spatial au Canada au cours des années 1960-1970. L'entreprise a notamment participé aux programmes Alouette, ISIS et Anik qui ont fait du Canada un des premiers acteurs mondiaux dans cette technologie. L'achat de l'usine RCA a donc ouvert des horizons très prometteurs à Spar, et a marqué un moment stratégique pour l'entreprise. Les propriétaires visaient à l'époque à constituer un groupe industriel susceptible de pénétrer les grands réseaux de la haute technologie internationale[31]. De nouvelles acquisitions sont venues gonfler les actifs du groupe. Parmi celles-ci mentionnons l'achat de Copter Shop de Calgary en 1978 et celle de Northway Gestalt Corporation en 1980. Ces achats permirent à Spar de devenir la première entreprise spatiale en conception, fabrication et assemblage de systèmes au Canada.

L'année 1980 a marqué le véritable début de la percée internationale de l'entreprise. Après l'obtention du contrat de conception et de fabrication du bras télémanipulé de la navette spatiale, elle a signé une entente avec la Défense américaine pour la mise au point d'un réseau de télédétection passif par infrarouge, à laquelle est venu s'ajouter en 1982 un contrat de 125 millions de dollars pour la fabrication de deux satellites pour le Brésil[32]. La présence de Spar dans le créneau de la détection optique lui permet d'établir des contrats avec Honeywell, un des géants de la recherche américaine en défense. Dernièrement, l'entreprise annonçait l'amorce du projet Radarsat dont l'objectif est de construire de 4 à 10 satellites radars et des stations terrestres pour une valeur globale potentielle de 7 à 10 milliards de dollars. Ce projet est d'intérêt civil et militaire[33].

---

29. Chambre de commerce de Montréal, *op.cit.*
30. Raynald Pépin, "Spar Aerospatiale: les divisions de Ste-Anne-deBellevue", dans *Interface*, novembre-décembre 1987.
31. Spar Aerospace, *Rapport annuel 1984*, 1985.
32. *Idem.*
33. P.C., "Spar décroche deux contrats d'Ottawa pour l'étude d'un satellite radar militaire", dans *La Presse*, lundi 15 février 1988.

Spar est donc le point de chute principal de l'industrie spatiale canadienne et un des principaux tremplins de l'industrie aéroélectronique, en plus d'être un acteur de premier niveau de l'industrie de la défense. A elle seule, elle représente environ 70 % de toute l'industrie spatiale du Canada. Elle est présente dans toutes les grandes régions et contrôle la quasi totalité des activités de recherche menées au pays. Elle s'est associée à plusieurs institutions de recherche, dont l'Université McGill et l'École polytechnique de Montréal. Il est difficile d'évaluer avec justesse la part de ses activités rattachée à la production d'équipement militaire. Cette production est en effet répartie entre plusieurs divisions de l'usine. Nous l'avons estimée à 20-25 % pour la période 1980-1985.

Pour comprendre l'ambiguïté du rôle de Spar, il importe de mettre en lumière la spécialisation de ses différentes composantes au plan régional. Elle possède six divisions. Il y a d'abord la division des systèmes de satellites et des systèmes spatiaux qui comprend deux entreprises, soit l'usine de Sainte-Anne-de-Bellevue et une filiale californienne dont la raison sociale est Astro Research Corporation. La plus grande partie des activités relève de la succursale québécoise et de ses 600 employés. La division des télécommunications, plus modeste, est également implantée à Sainte-Anne-de-Bellevue. Spar possède aussi une division des systèmes de télémanipulateurs localisée cette fois à Weston, en Ontario. C'est elle qui a hérité de la filière technologique qui donne accès au programme spatial américain. Deux autres divisions sont situées dans la même province, soit la division défense (Weston) et la division aviation (Toronto). Cette dernière est également associée à une fabrique de Calgary. Enfin la filiale Northway Gestalt Corporation est implantée en Ontario (Toronto). Les services de R-D sont répartis entre Toronto, Ottawa et Sainte-Anne-de-Bellevue, les services de relations avec le gouvernement sont à Ottawa et le siège social est à Toronto. Ainsi, s'il est vrai que la division la plus importante est implantée à Montréal, il n'en demeure pas moins que le pouvoir du nombre, auquel s'ajoute le pouvoir administratif, figurent parmi les avantages de l'Ontario.

La nature des activités de chaque filiale fait que le centre de gravité au plan de la production tend à se déplacer vers l'Ontario, notamment en ce qui a trait aux contrats de défense. Le Québec assume actuellement le leadership pour les satellites de communications, l'Ontario contrôle les activités liées à la fabrication d'instruments de détection optique, les activités d'usinage en aviation et la technologie du bras télémanipulateur. Il faut cependant ajouter que la réalité de la production est plus complexe, car aucune région n'assume la fabrication de toutes les composantes des systèmes, et il existe une importante activité de sous-traitance interne dans l'entreprise.

Le contrat Radarsat, qui est un projet de satellites de télédétection en orbite basse, attribuera, selon les projections de Spar, moins de 50 % de la valeur ajoutée au Canada à l'usine québécoise, ce qui correspond à des retombées réelles de 35 % par rapport à l'ensemble du contrat (dont différentes parties sont exécutées aux États-Unis, en Allemagne, au Danemark et en Italie)[34]. Curieusement, Spar est donc présentement une des causes de l'effritement de la position québécoise dans l'aérospatiale. Plus les activités spatiales ont un haut niveau de contenu militaire, plus elles tendent à se concentrer en Ontario où est localisée la division défense. La militarisation est dans ce cas-ci synonyme de déclin pour le Québec. Depuis une dizaine d'années, la part de la R-D québécoise associée au secteur spatial est en chute libre (13 % en 1985 contre 50 % en 1975)[35], en bonne partie à cause de la gestion qu'en fait Spar. A terme, les préférences de l'entreprise pour l'Ontario risquent d'éjecter le Québec hors de ce secteur.

Bell Hélicoptère

Bell Hélicoptère Canada, une filiale du groupe américain Textron, est la dernière venue des usines du secteur aérospatial. Son implantation découle d'une démarche entreprise par le gouvernement canadien au début des années 80. À l'époque, le ministère de l'Expansion industrielle régionale faisait l'analyse que la fabrication d'hélicoptères était peu développée au pays. Pour compenser le fort déficit commercial, on fit le choix d'appuyer l'implantation de nouvelles usines. Des contacts furent pris auprès de plusieurs fabricants et les discussions débouchèrent avec Bell autour d'un projet d'usine d'assemblage. Le nouveau centre de production devait notamment assurer l'assemblage du modèle Bell-400, un aéronef équipé de moteurs Pratt & Whitney. Les gouvernements fédéral et provincial injectèrent 275 millions de dollars dans le projet, contre un apport de 306 millions de la part de la maison mère américaine.

Toutefois, l'effondrement du marché des hélicoptères lourds mena, quelques mois seulement après la conclusion de l'entente, à la révision du mandat de la nouvelle usine vers l'assemblage de modèles légers (dont le Bell-206 et le Bell-212). Le niveau de contenu canadien s'en trouva réduit de 70 % à moins de 40 %. Au même moment, la maison mère conclut à la nécessité

---

34. Spar Aerospace, *Projet Radarsat*, 1987, texte ronéotypé.
35. S.A., "Recherche spatiale, la part du Québec en chute libre depuis 1985", *Le Devoir*, 18 mars 1988.

de revoir les termes de l'organisation de sa production. L'usine de Mirabel se vit confier la responsabilité des modèles civils, alors que celle de Fort Worth au Texas se réserva l'exclusivité de la production militaire. Or, la décision de s'implanter au Canada avait été prise dans l'attente de l'obtention du contrat de renouvellement des hélicoptères lourds de la marine canadienne (Seaking). Il n'en fallut pas plus pour inquiéter les fonctionnaires fédéraux et, quelques mois plus tard, le contrat fut attribué non pas à l'usine de Mirabel, mais à un consortium anglo-italien auquel Bell s'affilia, mais uniquement comme sous-traitant.

L'exécution de ce dernier contrat exigerait toutefois la construction de nouveaux bâtiments aptes à accueillir des hélicoptères plus grands. Un tel investissement présuppose l'injection de nouveaux fonds gouvernementaux. Les autorités fédérales sont placées devant un dilemme. Elles ont l'option de maintenir le projet dans la région de Montréal et de subventionner la construction de nouveaux hangars, ou de déplacer le contrat vers la Nouvelle-Écosse où est située la compagnie IMP, autrefois responsable de l'entretien des Seaking, et dont les installations sont présentement inutilisées. Bell pourrait se voir offrir en contrepartie le contrat des hélicoptères légers (dérivé du modèle 212) et celui des nouveaux aéronefs que compte acquérir la Garde côtière. Le fabricant québécois verra donc s'ajouter à son mandat de commercialisation d'appareils civils un mandat militaire limité au marché canadien dont la fonction pourrait bien devenir stratégique. La maison mère américaine figure en effet parmi les victimes des coupures effectuées dans le budget américain de la défense. Un de ses projets, l'avion-hélicoptère V-22, a été complètement abandonné et d'autres ont été réduits. La tentation pourrait donc être grande de rapatrier certains mandats civils confiés à la filiale canadienne, ce qui placerait cette dernière dans une position de dépendance accrue face au marché de la défense nationale.

*
* *

L'industrie aérospatiale québécoise n'est donc pas dans la situation désastreuse qui prévaut dans d'autres secteurs. Sa croissance repose pour l'instant sur le dynamisme de l'industrie civile, mais la militarisation demeure une menace réelle. Plus de 50 % du financement en R-D est actuellement assumé par les programmes militaires et la part représentée par la production militaire est en progression dans la plupart des usines. Certaines entreprises ont déjà commis l'imprudence de se retirer des réseaux civils avec pour conséquence qu'elles se trouvent actuellement confrontées à des problèmes d'emploi malgré la situation florissante qui prévaut dans l'ensemble de l'industrie. L'engouement des maîtres d'oeuvre pour les projets militaires nous incite à penser que le secteur évolue dans une direction qui risque fort d'être dommageable à long terme pour l'ensemble de l'économie québécoise.

CHAPITRE 6
L'INDUSTRIE ÉLECTRONIQUE

L'entreprise montréalaise Paramax est le symbole même de l'industrie d'armement moderne. Pas de hauts fourneaux ni machinerie, Paramax joue à la guerre électronique. Une gigantesque arcade où sont alignés ordinateurs et écrans vidéo. Paramax ne fait pas la guerre, elle l'imagine. "Ici la guerre nous semble si loin que nous ne nous sentons pas concernés", nous a confié un ingénieur en entrevue. "Mais ne dites pas que je vous ai parlé, on me congédierais"! On joue dans la grande arcade, mais le jeu n'est pas du chiqué, c'est un jeu sérieux. On y mène une guerre tout en se vantant de préparer aussi l'avenir économique du Québec.

En effet, le virage technologique est au centre du nouveau catéchisme des gouvernements du Canada. Depuis 10 ans, de groupes de recherche en commissions d'étude, le diagnostic est le même: le Canada s'est progressivement laissé distancer par ses compétiteurs internationaux. Nous innovons moins, nous produisons moins de nouvelles technologies. Pourtant écrivait le groupe consultatif de l'industrie de l'électronique il y a 10 ans:

> La vigueur économique du Canada, au cours des prochaines décennies, dépendra de plus en plus de notre aptitude à innover sur le plan technologique, de façon à produire des biens et services qui soient compétitifs à l'échelle internationale[1].

Selon le groupe, les problèmes principaux du Canada seraient liés à la faiblesse de son enracinement dans la fabrication des produits électroniques, la présence de capitaux étrangers, l'inadaptation aux économies régionales, le manque de formation de la main-d'oeuvre et la faiblesse du dynamisme au plan international. Ce jugement ne se démarque pas fondamentalement des symptômes identifiés 20 ans plus tôt par la Commission royale d'enquête sur

---

1. Groupe consultatif de l'industrie électronique, *Rapport du groupe d'étude sur l'industrie canadienne de l'électronique*, Ottawa, 1978 (s.e.).

les perspective économiques du Canada[2]. Les problèmes du Canada seraient donc récurrents. Ils adoptent la forme d'un manque de dynamisme, de compétitivité, d'agressivité et de préparation.

Le Canada présente en fait des faiblesses qui sapent sa capacité à soutenir la mise en marché de ses innovations. Car l'étude des brevets démontre que, en apparence, les Canadiens innovent autant que la plupart de leurs concurrents. Selon une recherche réalisée dans le cadre des travaux de la Commission Macdonald, le nombre de brevets livrés au Canada se comparerait à celui de la France et de l'Allemagne, mais serait inférieur à celui du Japon et des Etats-Unis. Plusieurs brevets canadiens sont toutefois attribués à des inventeurs étrangers (90 %), surtout américains (70 %). Des sept grands pays industrialisés, le Canada est celui qui alloue le moins de brevets à ses propres citoyens[3]. Non seulement la technologie canadienne est importée, mais l'innovation elle-même est empruntée.

La description des problèmes de l'économie canadienne en matière d'innovation permet de comprendre le rôle dévolu à l'Etat dans l'électronique. Cette industrie est considérée depuis longtemps comme le foyer principal de l'innovation contemporaine et comme le champ d'activité le plus névralgique des économies modernes. Les faiblesses du secteur privé ont incité les appareils gouvernementaux à y investir massivement. Cette décision a donné lieu à la mise en place d'une importante infrastructure de soutien à la recherche, et à la formulation de différentes politiques pour l'encadrement de l'effort technologique[4]. Cette démarche repose sur un processus long et laborieux, qui a amené plusieurs institutions à se donner des stratégies à long terme[5]. Sur le plan fédéral, les dernières étapes ont été franchies avec la création du ministère de l'Expansion industrielle régionale et celle, plus récente, du ministère de la Science et de la Technologie. La réforme des

---

2. Canadian Business Service Ltd., *The Electronics Industry in Canada*, prepared for Royal Commission on Canada's Economic Prospects, avril 1956.
3. Voir Ned Ellis et David Waite, "La production technologique canadienne dans une optique mondiale", dans Donald G. McFertridge, *L'industrie canadienne et le virage technologique*, Ottawa, Commission royale d'enquête sur l'union économique et les perspectives de développement du Canada, 1986.
4. Voir le répertoire des établissements de recherche du gouvernement fédéral publié dans Ministère de la Science et de la Technologie du Canada, *L'établissement d'entreprises de technologie au Canada*, Ottawa, MASC, 1986.
5. Voir notamment Gouvernement du Québec, *Le virage technologique*, Québec, 1982.

structures administratives et la formulation de politiques d'orientation ont par ailleurs été l'expression d'une volonté d'optimiser les retombées des dépenses gouvernementales. Plusieurs programmes d'aide aux entreprises ont été révisés afin de s'adapter aux nouvelles priorités. La politique de la main-d'oeuvre a été redessinée de façon à privilégier une meilleure "adaptation" des ressources ouvrières aux besoins du marché. L'Etat a enfin repensé sa politique d'achat dans le but d'intégrer à sa liste de critères des éléments susceptibles de stimuler le développement technologique des entreprises.

L'industrie électronique représente donc un enjeu important de l'économie canadienne. Elle est devenue l'objet d'une confrontation entre les administrations provinciales qui, chacune de leur côté, cherchent à en faire la pierre d'assise de leur développement économique. Dans ce contexte, la conception du développement véhiculée par les fonctionnaires fédéraux a mené à la formulation d'une politique de mise en valeur des ressources fondée sur les avantages comparatifs. Selon cette vision, chaque province devrait se spécialiser dans les secteurs où son économie présente des avantages incontestables.

Lorsque le fédéral s'est ouvert à la problématique des nouvelles technologies, il a tout naturellement cherché à identifier les pôles industriels les plus susceptibles d'optimiser la performance canadienne. La structure des réseaux de communication, financiers et industriels déjà en place l'a amené à concevoir une politique dont la mission est de consolider l'économie ontarienne tout en soutenant le développement des régions. Cette mission a donné lieu à l'émergence d'une pratique centrée sur la promotion de pôles technologiques inégalement répartis à l'échelle du pays. Le gouvernement fédéral a d'ailleurs été invité à diverses reprises, au cours des dernières années, à revoir sa politique technologique de façon à laisser le marché sélectionner les régions gagnantes et les régions perdantes. Le Rapport Wright, par exemple, a profondément marqué la philosophie gouvernementale fédérale en matière de développement technologique. Le rapport recommandait notamment que "l'engagement du gouvernement fédéral à l'égard du développement technologique soit redéfini pour maximiser l'attraction du marché sur le processus d'innovation"[6]. Le mandat du groupe était précisément orienté vers l'évaluation des efforts déployés par le gouvernement fédéral pour promouvoir le développement technologique du Canada. Dans le même sens, une mission d'envergure a été confiée à la Commission

---

6. Groupe de travail sur les politiques et programmes fédéraux de développement technologique, *Rapport à l'honorable E.C. Lumley, ministre d'Etat, Sciences et Technologies*, Ottawa, juillet 1984, p. 40.

Macdonald. Cette dernière a déposé en 1985 une volumineuse étude consacrée à la réorientation de la politique économique, sociale, culturelle et institutionnelle du pays. Les mots clés de l'analyse de la commission sont productivité, compétitivité, forces du marché et nivellement des conflits. L'objectif central est de faire en sorte que le Canada ne sorte pas perdant des marchés internationaux. De cet objectif découlent trois impératifs: 1) les entreprises canadiennes doivent se tourner vers l'extérieur; 2) le gouvernement doit encourager la compétitivité; 3) il doit aussi contrôler les facteurs économiques qui affectent cette compétitivité. La voie privilégiée par la commission passe donc par l'ouverture sur l'économie mondiale.

Comment le Québec réagit-il à cette situation? Une étude exhaustive des programmes fédéraux, réalisée dans le contexte pré-référendaire par deux chercheurs québécois, a déjà démontré que le Québec est mal servi par ces programmes, et qu'on peut imputer une lourde part de la responsabilité du déclin de l'industrie manufacturière québécoise à la nature du partage économique favorisé par le gouvernement fédéral[7]. Le Québec a reçu à peine 12 % des fonds de R-D distribués par le fédéral en 1986:

> En électronique, la recherche se concentre presque exclusivement dans le secteur des télécommunications et n'est le fait que d'une poignée d'entreprises. Cette situation est principalement due à la "succursalisation" de nos industries électroniques, dont les investissements de recherche et de développement se font principalement aux États-Unis et en Ontario. Parmi les autres éléments explicatifs, mentionnons le fait que la majeure partie des budgets fédéraux de recherche intra-muros et universitaire est dépensée en territoire ontarien[8].

Une stratégie élaborée a été rendue publique dans le deuxième énoncé de politique économique qu'a publié le gouvernement du parti Québécois en 1982[9]. *Le virage technologique* identifie une gamme variée de mesures en vue de permettre à l'économie québécoise de bénéficier "d'un meilleur équilibre des échanges de biens, de services et de technologie"[10]. Le document faisait état à l'époque d'une approche à deux volets. D'un côté, il recommandait de soutenir

---

7. Bernard Bonin et Mario Polèse, *À propos de l'association économique Canada-Québec*, Montréal, ÉNAP, 1980.
8. Secrétariat des conférences socio-économiques du Québec, *Le Québec et les communautés, un futur simple?*, Québec, 1983, p. 72.
9. Gouvernement du Québec, Développement économique, *Le virage technologique. Bâtir le Québec - phase 2*, Québec, 1982.
10. *Idem*, p. 57.

le développement tous azimuts de l'industrie par un recours plus systématique au secteur privé. D'un autre côté, il préconisait que des efforts additionnels soient déployés en vue d'améliorer la présence des firmes québécoises sur les marchés extérieurs. Le gouvernement Bourassa s'est identifié à cette dernière approche et a procédé, depuis son accession au pouvoir, à diverses réformes administratives. Celles-ci ont mené en 1988 à l'intégration de la technologie au ministère de l'Industrie et du Commerce, avec le mandat explicite, premièrement, d'aller chercher une plus grande part des budgets fédéraux et, deuxièmement, de concentrer ses énergies en direction des besoins des industriels qui s'inscrivent dans le sens des avantages comparatifs du Québec sur les marchés extérieurs.

Mais comment soutenir cette industrie et la protéger, tout en l'exposant à la concurrence extérieure? C'est ici que l'industrie militaire entre en scène. Avant d'aller plus loin, il importe de préciser que l'activité en R-D est beaucoup plus dynamique dans le secteur militaire qu'elle ne l'est dans les industries civiles. Les grands fabricants militaires dépensent de 10 % à 15 % de leurs revenus en R-D. C'est dix fois plus que dans les industries civiles. Il faut immédiatement ajouter que près de la moitié des budgets mis à la disposition des centres de recherche militaire provient du gouvernement fédéral, principalement par l'intermédiaire du programme de production de l'industrie du matériel de défense. L'analyse de la ventilation régionale des fonds attribués aux grands programmes fédéraux permet de constater que le Québec s'avère surtout performant dans les programmes de défense (32 %). "Avantage comparatif" est donc de plus en plus synonyme de "produits militaires", et la stratégie québécoise s'inscrit dans le sens des priorités de la Défense. Comme l'énonce le livre blanc sur la défense:

> Pour que de nouvelles technologies soient appliquées à la défense du monde occidental, il faut confier au secteur privé un plus grand nombre de travaux de recherche et, surtout, de développement. Le ministère de la Défense nationale a augmenté régulièrement les fonds qu'il alloue aux marchés de R-D adjugés à l'industrie canadienne. Entre 1977 et 1987, ces fonds ont presque septuplé, et cette tendance sera maintenue. De plus, le gouvernement envisage d'élaborer un programme de recherche industrielle pour la défense, afin d'aider l'industrie canadienne à établir une infrastructure technologique qui lui permettra de répondre aux besoins des forces canadiennes sur les chapitres du

nouveau matériel, du réapprovisionnement et du soutien pour la durée de vie utile du matériel[11].

Le rapport *L'état de préparation de l'industrie de défense: une assise de la défense* va dans le même sens:

> Le principe de l'établissement de sources d'approvisionnement nationales devrait constituer la pierre angulaire de toute politique visant l'état de préparation de l'industrie de défense, au moins pour ce qui touche les besoins opérationnels essentiels. A condition de faire l'objet d'une planification approfondie, ces sources seraient les plus fiables en situation de crise ou de guerre[12].

Dans son rapport, la Commission Macdonald range les programmes de R-D en défense parmi les domaines de l'intervention gouvernementale les plus "efficaces" auprès des entreprises privées. La défense est par ailleurs perçue comme un moyen d'intensifier la présence canadienne sur les marchés extérieurs[13], et le complexe industriel américain comme l'instrument le plus susceptible de compenser les carences de l'industrie canadienne[14].

Du côté québécois, l'analyse est la même, c'est l'échelle qui est différente. Tout comme Ottawa, Québec reconnaît en l'industrie militaire un pôle de soutien à l'innovation et au rayonnement sur les marchés extérieurs. La défense étant de compétence fédérale, l'obtention de contrats militaires est également perçue comme un canal de transfert de ressources susceptibles de soutenir l'économie québécoise en limitant l'effort financier direct du gouvernement provincial. Par ailleurs, comme son vis-à-vis fédéral, le gouvernement québécois considère les programmes de défense comme un instrument de développement et de rayonnement de l'expertise technologique, en plus de constituer une voie d'accès privilégiée au marché américain et, à travers ce dernier, au marché mondial.

L'armement menace donc sérieusement l'équilibre de la R-D québécoise en général et plus particulièrement celui de son industrie électronique. Un nouveau leadership sectoriel centré sur la production militaire est en train de naître. Présentement, au moins 30 % des activités du secteur relèvent des

---

11. Ministère de la Défense nationale, *Défis et engagements. Une politique de défense pour le Canada*, Ottawa, MND, 1987, p. 78.
12. Ministère de la Défense nationale, *L'état de préparation de l'industrie de défense: une assise de la défense*, Ottawa, MASC, 1987, pp. 1-7.
13. Commission Macdonald, *op.cit.*
14. Ministère de la Défense nationale, *op.cit.*

contrats militaires et plus de 50 % des budgets de R-D sont associés à la production d'armes. Le seuil critique a donc déjà été franchi.

LA PLACE DE L'INDUSTRIE MILITAIRE

Avant de nous engager dans l'analyse des caractéristiques statistiques économiques de la production électronique militaire, il serait peut-être pertinent de nous interroger sur la nature des activités recouvertes par l'ensemble du secteur. La production électronique regroupe de nombreux champs qui lui ménagent une position très particulière à l'intérieur du tissu manufacturier. Une partie importante de la production réalisée sous forme de sous-systèmes complets ou partiels, de circuits intégrés ou de contrôles numériques, par exemple, est en effet dirigée vers d'autres secteurs d'activité. Parallèlement, cette industrie fabrique des produits de consommation courante, de sorte que le profil sectoriel y apparaît fort varié. Pour les fins de la présente étude nous avons regroupé ces activités en quatre sous-secteurs qui sont identifiés au tableau 6-1. Par ailleurs, les principales entreprises de l'industrie électronique canadienne qui sont engagées dans la production militaire sont présentées au tableau 6-2.

Plus de la moitié des 850 établissements recensés évoluent dans le domaine de la fabrication d'équipements de communication; ce sous-domaine est d'ailleurs le seul où le Canada présente une balance commerciale positive. Dans tous les autres champs d'activité, il est un importateur net. Le déficit de sa balance commerciale s'est établi à 1 milliard de dollars en 1985.

Tableau 6-1
Répartition des expéditions du secteur de l'électronique, Canada, 1985 (en millions de dollars)

	Valeur	%
Télécommunications	4 149 000	60
Ordinateurs et matériel de bureau	1 540 000	22
Instruments et matériel de commande	749 000	11
Produits électroniques de consommation	489 000	7
TOTAL	6 927 000	100

Source: Gouvernement du Canada, Ministère de l'Expansion industrielle régionale, *L'électronique au Canada*, Ottawa, MEIR, 1986.

Les trois quarts des exportations canadiennes sont destinés au marché américain. Le quart restant est réparti entre une quinzaine de pays. La situation qui prévaut ici rappelle donc celle de plusieurs autres domaines liés à la technologie de pointe. Les filiales canadiennes de multinationales américaines expédient en moyenne 95 % de leur production outre frontière. Il s'agit, dans la plupart des cas, de produits intégrés sur des systèmes d'armements plus complexes (radios, radars, etc.).

Tableau 6-2
Les grandes entreprises militaires de l'industrie électronique au Canada 1980-1986

Entreprises	Province	Systèmes	Propriété	Valeur ('000,000 $)
Litton Industries	Ont.	Missiles, syst. de commande, détection, etc.	Litton É.U.	1 000
Paramax	Qué.	Syst. de commande, détection, syst. de combat	Unisys É.U.	650
Marconi	Qué.-Ont.	Syst. de communication	GE G.B.	600
CAE Electronics	Qué.	Simulateurs de vol Syst. electron. Entretien	CAE	280
Control Data	Ont.	Composants	Control Data É.U.	160
Spar Aerospace	Qué.-Ont.	Satellites, syst. electron. Elector-optique	Spar Can.	N.D.
Northern Telecom	Qué.-Ont.	Composants	Bell Canada Can.	120
Matrox	Qué.	Composants, logiciels	N.D.	N.D.
Devtek	Ont.-N.É.	Composants	Devtek Group Can.	115
Microtel	Ont./CB	Composants	GTE É.U.	N.D.
Bristol	Man.	Composants	Rolls-Royce	85
Rockwell	Ont.	Composants	Rockwell Int. É.U.	55
Sparton	Ont.	Composants	Sparton Corp. É.U.	55
Sperry	Ont.	Logiciels	Unisys É.U.	50
Philips	Ont.	Composants	Philips NV Pays Bas	50
Leigh Instruments	Ont.	Composants	Viatech Can.	50

Source: GRIMR, compilation de données publiques.

La performance des exportateurs dépend de l'accès aux contrats américains et de la capacité à concurrencer des sociétés canadiennes. Les fabricants de systèmes électroniques sont aux prises avec une problématique commerciale qui repose à la fois sur une relation de dépendance et de concurrence face au marché américain. Ce rapport un peu paradoxal impose des coûts élevés à l'économie canadienne. Pour protéger le marché, les producteurs doivent préserver leurs avantages comparatifs. Le coût de la main-d'oeuvre de ce côté-ci de la frontière exige un taux de change compétitif. L'infrastructure en recherche et développement est par ailleurs tributaire des programmes gouvernementaux. Enfin, les contrats d'exportation ne sont souvent conclus que grâce à l'apport additionnel des programmes de soutien gouvernementaux. Tout cela fait en sorte que l'effort consacré globalement par la communauté canadienne est beaucoup plus substantiel dans le secteur militaire qu'il ne l'est dans l'industrie civile.

En 1984, 65 % de la production locale était exportée (voir tableau 6-3). Simultanément, le Canada importait 80 % des produits mis en vente sur son marché. Une telle situation reflète la forte spécialisation de la production et une intégration prononcée à l'économie américaine[15]. L'industrie électronique procure par ailleurs de l'emploi à 95 000 travailleurs, ce qui représente environ 5 % de la main-d'oeuvre manufacturière. La contribution au plan de la production est un peu plus modeste; elle s'établit à 3 % de la valeur ajoutée de l'industrie manufacturière canadienne.

Tableau 6-3
Exportations militaires du Canada dans le secteur de l'industrie électrique/électronique, 1959-1985 (en millions de dollars courants)

	1959-72	1973	1984	1985
Exportations aux Etats-Unis	2 302,6	357,2	450,2	246,9
Outre-mer	913,5	160,6	148,8	22,3

Source: Research Programme in Strategic Studies, *Developing Defense Industrial Opportunities for Ontario Prospects and Perspectives*, Toronto, mars 1986.

15. Ministère de l'Expansion industrielle régionale, *L'industrie électronique au Canada*, Ottawa, MEIR, 1986.

Comme de nombreuses autres industries manufacturières, l'électronique est localisée principalement dans les provinces centrales. En fait 65 % de la valeur totale des expéditions émane de l'Ontario et 20 % du Québec. Le reste est distribué entre les provinces de l'Ouest. Nous verrons plus loin que la domination ontarienne dans le secteur a des répercussions multiples sur l'ensemble de l'industrie de la défense. Précisons toutefois que cette domination est un peu moins vive dans le domaine des télécommunications, où un tiers des activités environ est situé au Québec.

Le portrait de l'industrie électronique est donc semblable à celui de l'industrie aéronautique. Il s'agit d'une industrie ouverte, fortement tributaire du marché américain autant au niveau des importations que des exportations. Au niveau de la production et de la propriété, l'autonomie canadienne ne s'exerce que dans certains créneaux restreints.

La ventilation régionale de la production est également l'expression d'une certaine désarticulation de l'économie canadienne. Comme dans la plupart des secteurs militaires, la relation de dépendance face aux technologies étrangères qui caractérise le secteur a été synonyme d'une spécialisation régionale poussée. La force de l'économie ontarienne, par exemple, est la conséquence directe d'une concentration importante des fabricants canadiens de systèmes de guidage et de navigation d'avions et de bateaux dans la région d'Ottawa, et de systèmes de contrôle des missiles et d'instrumentation électronique dans le Grand Toronto.

Le fort contenu électronique de l'armement moderne assure à l'Ontario une place prépondérante au sein de l'économie militaire canadienne. Les firmes ontariennes représentent une masse critique qui exerce un effet d'attraction sur tous les gros systèmes. Donnons quelques exemples. En 1970, le gouvernement canadien annonçait l'attribution du contrat de fabrication de ses nouveaux avions de chasse au constructeur américain McDonnel Douglas. Une fois la répartition des contrats de sous-traitance réalisée, les firmes ontariennes ont touché 71 % des retombées (ce qui était déjà beaucoup) dont 90 % du contenu électronique (ce qui est encore mieux). En 1985, Ottawa attribuait le contrat du projet de réfection des destroyers de classe tribal (TRUMP) d'une valeur de 1,2 milliard de dollars dont 300 millions affectés à la réfection des coques et 900 millions à la mise en place de nouveaux systèmes électroniques. La partie "tôle" a été confiée au Québec, la partie électronique à l'Ontario. Cette masse critique ontarienne est si influente que, pour décrocher une part du "gâteau" technologique des grands contrats militaires, les autres provinces doivent souvent déployer des énergies démesurées et consentir des avantages additionnels aux entreprises. Ces avantages prennent le plus souvent la forme de subventions (déclarées ou déguisées) offertes à même les deniers publics. Le coût d'accès aux contrats est alors très élevé. Non seulement inclut-il le fardeau économique lié à la dépendance américaine, mais s'ajoutent également des frais associés au seul fait que les titulaires des contrats ne sont pas localisés en Ontario.

LA DYNAMIQUE QUÉBÉCOISE

L'industrie électronique québécoise est jeune. Elle n'a connu sa première phase de croissance véritable qu'au cours des années 70. En 1982, elle représentait 2,5 % de la production industrielle québécoise (4 % en Ontario et 2,8 % à l'échelle canadienne)[16]. Le démarrage semble s'être fait tardivement et a contribué au déficit technologique de la province. Si modeste soit-elle, cette industrie serait à l'origine de 13 % de l'effort québécois en R-D, une performance cependant inférieure à celle de l'ensemble du Canada (22 %)[17]. Le tableau 6-4 fait ressortir la part québécoise de l'industrie canadienne dans la production civile et militaire. Selon une étude récente, le secteur emploierait 12 % du personnel scientifique et technique de recherche industrielle[18]. Répétons que le Québec n'est pas dans les bonnes grâces du gouvernement fédéral. Depuis cinq ans, la part des budgets fédéraux consacrée à la recherche n'a cessé de décliner au Québec. Elle n'est plus que de 12 %[19].

Même s'il ne joue qu'un rôle de seconde zone dans l'économie militaire du secteur de l'électronique, le Québec attire une part d'activité militaire non négligeable. Trente-trois pour cent de la production militaire est en effet assumée par des firmes localisées au Québec. On y retrouve 35 % de l'emploi militaire contre 26 % de l'emploi total. En projetant ces données sur les relevés statistiques présentés dans les pages précédentes, on peut en déduire qu'environ 30 % des expéditions totales du secteur électronique québécois ont une mission militaire, à laquelle est affecté 35 % de la main-d'oeuvre du secteur. Les données du ministère de l'Expansion industrielle régionale évaluent à 21 000 le nombre d'emplois des manufacturiers de l'électronique québécois; 7 300 d'entre eux fabriquent donc des pièces d'armement[20]. La

---

16. Secrétariat des conférences socio-économiques, *La révolution informatique: subir ou choisir. Etat de la situation*, 1983, p. 8.
17. *Idem.*
18. Louis Caouette et al., *op.cit.*
19. Paul Durivage, "Faire-faire: le Québec a reçu moins de 10% des 251$ millions alloués par Ottawa", *La Presse*, 27 avril 1988.
20. Ministère de l'Expansion industrielle régionale, *op.cit.*

valeur totale des livraisons militaires se serait chiffrée à environ 700 millions de dollars pour 1987.

Tableau 6-4
Part québécoise de l'industrie canadienne dans la production civile et militaire, 1983

	Établissements (%)	Emplois (%)	Expéditions (%)
Télécommunications	21	32	39
Informatique	20	21	21
Ordinateurs et bureautique	19	19	12
Électronique de consommation	23	3	3
TOTAL (pondéré)	20	26	27

Source: Gouvernement du Canada, Ministère de l'Expansion industrielle régionale, *Profils de compétitivité*, Ottawa, MEIR, 1986.

Il faut ajouter que la recherche militaire fonctionne dans un univers tout à fait particulier. On y travaille sur des questions dont la nature très spécialisée restreint les transferts au secteur civil. Lorsqu'un système est vraiment révolutionnaire, il est frappé du secret militaire et mis à l'abri de tout contact avec l'extérieur. Il faudra cinq ou dix ans avant que l'invention atteigne les chaînes de production civile. Seymour Melman a mis en évidence certaines caractéristiques de la recherche militaire dont le propre est d'établir ses projections financières sur des objets qui n'existent pas. Le coût est inévitablement astronomique. Par exemple, il a fallu plus d'une décennie de recherche à Canadair pour commercialiser le CL-289. Le coût de l'appareil et le volume limité du marché en font un objet militaire haut de gamme très onéreux. Il n'existe aucune retombée civile en perspective, la technologie étant trop coûteuse.

Au Québec, la production militaire fait plutôt office de béquille. Elle prend la forme d'une politique de "redistribution" comme celle que dénonce John Treddenick[21]. Mais le Québec importe plus de composants électroniques du reste du Canada et de l'extérieur du pays qu'il n'en exporte. Une part

21. John M. Treddenick, "The Arms Race and Military Keynesianism", dans *Analyse des politiques*, vol. 11, n° 1, pp. 77 et ss.

appréciable des retombées bénéficie donc aux économies extérieures[22]. En fait, nous a déclaré un haut fonctionnaire montréalais, une fois écartées les importations réalisées par les distributeurs québécois et la part des contrats sous-traités dans les autres provinces et aux Etats-Unis, la contribution réelle des retombées militaires se situe à un tiers de la valeur des fonds dépensés au Québec, ce qui représente environ 12 % des dépenses annuelles en équipement électronique de l'armée canadienne[23]. Les bénéfices du Québec sont donc très inférieurs à ce qu'on pourrait croire.

L'image d'une industrie québécoise développée et diversifiée, bien qu'elle ne soit pas entièrement fausse, ne correspond pas à la réalité. Il est vrai que 820 sociétés ont exécuté des contrats militaires entre 1980 et 1985, mais il est également fondamental de rappeler que depuis cinq ans, plus de 80 % de cette production est assurée par cinq firmes seulement, soit Paramax, Canadian Marconi, Matrox, CAE Electronics et Spar Aerospace. Ce petit noyau d'entreprises constitue le fer de lance des exportations québécoises et est très fortement tributaire des contrats militaires. Toutes les activités de Paramax sont liées à ce type de production. Cette proportion atteint 70 % chez Canadian Marconi, 60 % chez CAE Electronics, entre 50 et 60 % chez Matrox et 30 à 40 % chez Spar Aerospace. Il s'agit de firmes "spécialisées" qui s'inscrivent dans un univers commercial réservé.

Sous l'impulsion de ces entreprises, l'industrie électronique militaire québécoise s'est spécialisée. Nous avons identifié au tableau 6-5 les cinq spécialités principales desquelles relève la plus grande part des activités de production et surtout des activités de maîtrise d'oeuvre québécoises.

Notons également que les firmes québécoises ont obtenu de nombreux contrats de sous-traitance au cours des dernières années. Selon nos projections, au moins 30 % des activités de production liées au marché américain étaient des sous-contrats en 1985. Quant au commerce avec les autres membres de l'OTAN, cette proportion atteint 50 %. Ajoutons à cela que près de 40 % de la production québécoise destinée au marché national découle d'ententes où la maîtrise d'oeuvre relève de sociétés dont le siège social est localisé dans une autre province[24]. Cela nous permet de conclure

---

22. Le taux d'auto-approvisionnement du Québec en produits électriques et électroniques n'est que de 54,3%, un des plus bas du secteur manufacturier. Source: Québec, BSQ, *Les échanges de produits manufacturés entre le Québec et les provinces canadiennes, 1967-1984*, Québec, Les publications du Québec, 1987, p. 59.
23. Propos recueillis en entrevue, 25 février 1988.
24. Compilation GRIMR.

que l'industrie contribue à maintenir le Québec dans une position militaire de deuxième zone. Par ailleurs, plusieurs filiales étrangères contribuent à entretenir cette situation. L'ouverture d'Ottawa à l'endroit des investissements étrangers depuis le départ du gouvernement Trudeau a donné lieu à l'arrivée de filiales étrangères dont le seul but est de tirer profit des contrats de défense du Canada[25]. Selon le ministère des Approvisionnements et Services Canada, la technologie militaire utilisée par le Canada est américaine dans 90 % des contrats[26].

Tableau 6-5
Les créneaux de l'industrie électronique militaire québécoise

	Filières	Entreprise principale
1)	Communication/matériel radio	Canadian Marconi, Codalex, Northern Telecom
2)	Systèmes de détection (logiciels, satellites, systèmes infrarouges)	Paramax, Spar Aerospace, Bendix, RCA, Canadian Marconi
3)	Logiciels de formation et de combat (systèmes passifs ou interactifs)	Sperry, Matrox, Paramax, CAE Electronics
4)	Simulateurs	CAE Electronics
5)	Système d'atterrissage à micro-onde	Canadian Marconi, Bendix

Source: GRIMR.

La situation des firmes canadiennes et québécoises s'explique également par l'intégration croissante de l'industrie électronique au plan international. Les efforts déployés par l'OTAN en vue de favoriser une plus grande uniformisation des systèmes d'armement a eu un écho très concret dans ce secteur. Tel qu'indiqué plus tôt, de plus en plus de systèmes donnent lieu à la mise en place de consortiums internationaux. Par exemple, le missile

25. Voir Jean-Pierre Legault, "Ottawa accepte tous les investissements étrangers depuis 1985", *Le Devoir*, 20 février 1988.
26. Ministère des Approvisionnements et Services Canada, *Support industriel à la défense du Canada, l'étude de l'industrie du matériel de défense, 1987*, Ottawa, MASC, 1987.

Exocet de conception franco-allemande est produit sous licence aux États-Unis. La firme Thompson CSF (France) fabrique des composantes et des systèmes radio pour l'armée de terre américaine. Des dizaines de cas de ce genre pourraient être évoqués. Le marché s'internationalise et la spécialisation s'accentue au plan national. La quote-part réservée aux producteurs d'un pays donné dépend alors du dosage entre la promotion de la production nationale et l'ouverture sur les marchés étrangers favorisée par son gouvernement. La demande canadienne est orientée vers le maintien de mécanismes de soutien logistique à la production nationale et à l'exportation, dans un univers commercial de plus en plus accessible à la production étrangère. Cette stratégie adopte parfois des détours fort complexes, mais il en résulte que, dans le secteur de la défense, les firmes canadiennes sont présentement à l'origine de 7 % du commerce mondial d'équipement électronique[27]. Cela nous permet de comprendre pourquoi certaines firmes québécoises occupent des positions enviables au plan international. Canadian Marconi, par exemple, a vendu sa radio tactique AN/GRC-103 partout dans le monde. Il en va de même des systèmes de navigation destinés aux avions et hélicoptères. La situation de CAE Electronics est comparable à celle de Canadian Marconi; plus de 90 % de la production est exporté vers les pays de l'OTAN.

Le tableau 6-6 présente les principales entreprises québécoises du secteur de l'électronique qui sont impliquées dans la production militaire.

LES GRANDS ACTEURS INDUSTRIELS

Canadian Marconi

L'histoire de Canadian Marconi se confond avec celle de l'industrie électronique. La découverte de la radio sans fil par Guglielmo Marconi débouche en 1903 sur la création de la Marconi Wireless Telegraph Company of Canada, qui marque d'ailleurs les véritables débuts de l'industrie des communications canadienne. Pendant plusieurs décennies cette entreprise servira de standard international.

---

27. Ministère de l'Expansion industrielle régionale, Department of Regional Industrial Expansion, *A Perspective on Sources: The Defense Electronics Industry in Canada*, Ottawa, MEIR, 1986.

Tableau 6-6
Les entreprises québécoises et la production militaire dans le secteur électronique
1980-1986

Entreprises	Activité	Propriété	Valeur ('000,000 $)
Paramax	Syst. de détection et de combat, syst. électron.	Unixys É.U.	650
Marconi	Système de communications	GE G.B.	500
CAE Electronics	Simulateurs, syst. électron. Entretien	CAE Can.	280
Matrox	Logiciels de formation	N.D.	N.D.
Spar Aerospace	Satellites, composants électron.	Spar Can.	N.D.
Codalex	Communications	N.D.	N.D.
Metrone Corp.	Distribution	N.D.	N.D.
Unisource Technol.	Distribution	N.D.	N.D.
Kaycom	Distribution	Can.	N.D.
JHT Electronics	Distribution	N.D.	N.D.
Northern Telecom	Composants Distribution	Bell Canada Can.	N.D.
Pratt & Whitney	Distribution	United Tech É.U.	N.D.
Canadair	Syst. de surveillance	Bombardier Qué.	N.D.
Future Electronics	Distribution		N.D.

Source: GRIMR, compilation de données publiques.

La Deuxième Guerre mondiale constitue une étape importante dans l'histoire de l'entreprise. Non seulement Canadian Marconi profite-t-elle du conflit pour accroître son implication dans le secteur militaire, mais la guerre lui offre l'occasion d'étendre le rayonnement de ses activités. Elle se lance notamment dans la production de radars[28]. L'entreprise se hisse rapidement dans le peloton de tête de l'industrie des communications au plan mondial.

Toutefois, au cours des années 60, l'entrée massive de produits électroniques japonais miniaturisés et à coûts réduits déclasse rapidement la

28. *Annuaire du Canada 1952-1953*, pp. 1226-1228.

technologie un peu rétrograde de Marconi. L'entreprise quitte la fabrication de radios civils et son marché des caméras de télévision s'effondre, ce qui provoquera une crise majeure au début des années 70. Quatre mille des 5 000 employés de l'usine sont mis à pied et la survie de la compagnie est menacée. Le plan de sauvetage imaginé par les dirigeants de l'usine marque une étape décisive de l'histoire de Marconi. Ce plan s'appuiera principalement sur l'entretien et la fabrication d'équipements militaires. Après l'obtention du contrat d'entretien du matériel électronique de l'armée canadienne, elle se verra offrir un soutien important en recherche et développement en vue de mettre au point différents systèmes de communication militaires ultra-modernes. La compagnie fera ultérieurement le choix de se spécialiser dans ce créneau industriel. Aujourd'hui, la production militaire représente environ 70 % des ventes.

Les années 80 favorisent aussi le développement des technologies militaires. Les encouragements d'Ottawa l'ont notamment amenée à se rendre plus visible au plan international. Ses ventes sont passées de 107 millions de dollars en 1980 à 313 millions de dollars en 1985; 88 % de ce chiffre d'affaires est réalisé sur les marchés extérieurs.

Marconi a souffert de la contraction du marché de l'électronique en 1986-1987. Alors qu'auparavant l'entreprise offrait une des meilleures performances financières du secteur (28 % de croissance des profits entre 1980 et 1985)[29], les ventes ont chuté de façon radicale (-28 %) en 1986. Les profits ont également diminué. Une certaine stabilisation de la situation en 1987 a redonné quelques espoirs à la direction, mais le bilan de 1988 a été affecté par une grève de sept semaines qui a provoqué une baisse du chiffre d'affaires de 7,6 millions. Malgré tout, Marconi demeure une entreprise profitable. En 1988 le chiffre d'affaires s'est établi à 220,1 millions et les profits à 22 millions.

Marconi est une filiale à 51,6 % de General Electric de Grande-Bretagne. L'entreprise est partagée en deux groupes qui chapeautent cinq divisions (avionique, composants, communications de défense, radar et services spéciaux). Toutes ces divisions produisent des équipements militaires.

La division avionique est spécialisée dans la conception et la fabrication de systèmes de navigation, d'atterrissage, d'instruments de gestion et d'affichage pour tableaux de bord. C'est elle qui a encadré la participation de l'entreprise au programme des hélicoptères EH-101. Marconi figure parmi les

---

29. *Canadian Electronics Engineering*, "Top 40 in Canada's Electronics", septembre 1985, p. 105.

leaders mondiaux dans le domaine des systèmes de navigation. Le dernier-né, le Navstar Global Position System, est un système en série de 18 satellites capable d'assurer surveillance et communication à l'échelle du globe. Il s'agit d'un des créneaux de technologie de pointe visés par l'entreprise[30]. L'autre projet d'avenir, le Microwave Landing System (MLS), a été mis au point conjointement avec Rockwell International et entraîne la participation de plusieurs entreprises canadiennes. Il vise à remplacer le système d'atterrissage Instrument Landing System (ILS) également fabriqué par Marconi. Le MLS est plus précis, plus léger, plus polyvalent et adaptable à tous les aéroports[31]. On prévoit que mille exemplaires seront vendus à la Défense américaine au cours des six prochaines années en vue d'équiper les avions Hercules C-130.

La division des communications pour la défense, également localisée à Montréal, fabrique des systèmes de communication très appréciés par les armées partout dans le monde. Le système le plus populaire est le AN/GRC-103. Marconi mise cependant sur des procédés plus modernes comme le AN/GRC-226 déjà utilisé par l'armée canadienne[32], le AN/TRC-180 dont 41 exemplaires ont été vendus[33] et le Mobile Suscriber Equipment (MSE), pour préserver son marché.

La division des composants fabrique des cartes imprimées pour systèmes militaires. Elle construit également des panneaux à éclairage en plus de faire de la conception et de l'analyse de circuits. Finalement, la division Radar localisée à Kanata construit surtout des radars pour navires de surface. Cette division a obtenu des contrats dans le cadre du programme DELEX et du programme des frégates. Désireuse de diversifier son marché, Marconi a mis au point un radar pour flottille de pêche (LN-66) qui n'a cependant trouvé jusqu'à maintenant que des applications militaires.

Paramax

La société Paramax a vu le jour grâce à l'important contrat des frégates de patrouille qu'elle partage avec le chantier St. John Shipbuilding and Dry Dock (Saint-Jean, Nouveau-Brunswick). Paramax est une filiale à part entière de la société américaine Unisys. Celle-ci est issue de la fusion de Bourrough et de Sperry en 1986. L'expertise de ces dernières entreprises dans la construction

30. USAF Systems Command Liaison Office, *op.cit.*
31. Canadian Marconi Company, *Microwave Landing System*, 1987.
32. La fin du contrat est prévue pour 1993.
33. Canadian Marconi, *Rapport annuel 1986-1987*, 1987.

navale militaire est étendue. Sperry a déjà contribué à la construction de 55 frégates (FFG-7) de la marine américaine, et a participé à la conception des systèmes de contrôle des sous-marins Trident.

Paramax a hérité de diverses tâches de conception et de fabrication des systèmes de commande, de contrôle et de détection des frégates. En outre, elle gère la mise en place des différents systèmes d'armement des navires. Au total, pour les six bateaux de la première génération, elle a obtenu un budget global de 1,25 milliard de dollars, dont 650 millions doivent être dépensés au Québec. Elle prévoit employer 700 techniciens et ingénieurs d'ici 1990. Notons par ailleurs que l'entreprise s'est vu accorder, au moment de sa création, un mandat mondial pour la commercialisation des systèmes mis au point au Canada. Paramax pourrait donc, théoriquement, tenter de percer le marché international de la gérance des systèmes d'armement. Le gouvernement canadien lui a d'ailleurs consenti des conditions très avantageuses en matière d'exportation, dans l'espoir que la société contribuera à étendre hors du pays le champ de l'expertise technologique canadienne. Paramax ne fait que la conception et, pour la réalisation, elle s'appuie sur plus de 1 000 sous-traitants. Son expertise en gestion de projets et en systèmes électroniques lui a permis de décrocher une partie du contrat de renouvellement des hélicoptères de la marine.

Cette entreprise, qui était récemment présentée comme "An Engine for Economic and Technological Growth", dispose présentement de revenus de 240 millions de dollars par année, mais vise 500 millions pour 1991. Elle cherche à se spécialiser dans quatre types d'activités toutes situées aux confluents des différents systèmes d'armement, notamment les système de combat, la guerre anti sous-marine, les systèmes de missile et la guerre électronique. Elle sera par ailleurs responsable de la formation au combat naval des marins canadiens appelés à former l'équipage des nouvelles frégates.

Paramax correspond donc au modèle type de l'entreprise militaire. Cette société a été mise sur pied pour concevoir et implanter des systèmes de défense et n'a, selon toute évidence, pour seul objectif à moyen et long termes que d'étendre son marché dans ce créneau. Elle figure déjà parmi les maîtres d'oeuvre les plus respectés de l'industrie et représente, sans aucun doute, la grande concurrente au Québec du groupe Bombardier dans la conception et la gestion des systèmes militaires.

CAE Electronics

L'histoire de CAE remonte à 1947. Incorporée sous le nom de Canadian Aviation Electronics, l'entreprise oeuvrait à l'époque dans la révision et la réparation des équipements électroniques. Elle demeura à l'écart des gros contrats militaires liés à la guerre de Corée. La mission de CAE change au début des années 60. En bonne partie grâce aux contrats militaires, dont la signature est rendue possible suite à l'intégration de la défense nord-américaine, CAE amorce une brillante carrière dans le domaine de la fabrication des simulateurs de vol. Elle fabriquera des dizaines de simulateurs pour des systèmes civils et militaires qui lui permettront de s'inscrire sur la liste des fournisseurs de la plupart des grands maîtres d'oeuvre de l'industrie aéronautique de l'hémisphère occidental. CAE s'accaparera 50 % du marché mondial des simulateurs. Elle fabriquera notamment des simulateurs pour le Hercules C-130, le Aurora LP-140, le Galax C-5B, le Panavia Tornado, le MDD CF-18, le MDD A-4S, le Northrop F-5E, l'Alpha Jet, le Orion &-3C et le Boeing E-3A.

Frappée par la récession et malmenée par la concurrence, la croissance de CAE s'interrompt au début des années 80. Le nombre d'employés passe de 2 200 en 1980 à 2 000 en 1984. Les performances plus récentes ne sont guère plus reluisantes. Le chiffre d'affaires chute de 298 à 150 millions entre 1987 et 1988. L'entreprise est néanmoins toujours rentable (29 millions de dollars de profits en 1988). L'heure est à la diversification. CAE s'est ainsi mise à l'affût de contrats liés aux grands systèmes militaires. Depuis trois ans, elle a participé à presque tous les gros projets gouvernementaux à haut contenu technologique. Elle s'est, par exemple, associée à Spar dans le projet du bras manipulateur canadien et elle sera le point de chute principal au Québec dans le programme de la Base spatiale. Elle s'est en outre affiliée à Canadair pour le contrat d'entretien des F-18. Elle participe au consortium des hélicoptères EH101, et elle a décroché le contrat de fabrication du système de commande des frégates canadiennes. Elle vient de recevoir le mandat de fabriquer les simulateurs du système de défense anti-aérien à basse altitude (DABA) de Oerlikon. Elle fabrique enfin des équipements de détection d'anomalies magnétiques (MAD) pour de nombreuses armées de l'OTAN.

Très bien implantée sur le marché des simulateurs de vol, CAE a toujours éprouvé des difficultés à s'imposer dans les autres segments du marché de la défense au Canada et aux Etats-Unis. Dans le but de se donner un outil susceptible de lui permettre de mieux s'implanter sur le marché militaire américain, elle s'est donc portée acquéreur de la division Link de Singer Company.

*
* *

L'engouement actuel des entreprises québécoises de l'industrie électronique pour les contrats militaires et l'encouragement que prodigue en ce sens le gouvernement québécois donnent lieu à une dynamique qui favorise la spécialisation de l'industrie provinciale dans les systèmes militaires. Ce mouvement est la cause du rétrécissement des expertises québécoises, en plus d'être la source d'une dépendance accrue à l'endroit des technologies étrangères et principalement des technologies américaines. Cela signifie qu'en encourageant la militarisation, on diminue la capacité de contrôler et d'orienter le développement du secteur. En se rendant dépendant du seul marché de la défense, on accentue l'impact éventuel d'une baisse des dépenses militaires en plus de miner la capacité de relance dans le marché civil. Les choix actuels représentent donc un danger réel dont on risque de ne prendre conscience que lorsqu'il sera trop tard.

Actuellement, le nombre des entreprises du secteur électronique qui sont engagées à fond dans le militaire est limité, mais la place qu'elles occupent dans le réseau de production provincial est stratégique. Si la tendance actuelle se maintient, l'influence des technologies militaires s'étendra aux autres fabricants. Il est donc important de corriger dès maintenant cette situation.

CHAPITRE 7
L'INDUSTRIE DU MATÉRIEL DE TRANSPORT ROULANT

Les nouvelles technologies ont modifié les données relatives à l'intervention militaire terrestre où la rapidité d'action est plus que jamais devenue la préoccupation la plus importante des armées de terre. Le char d'assaut, dont la puissance de destruction a joué un rôle majeur au cours de la Deuxième Guerre mondiale, a perdu une partie de son importance stratégique. La puissance des missiles anti-char de conception moderne en fait une cible hautement vulnérable dont la durée fonctionnelle au combat diminue d'année en année. Les armées modernes se sont plutôt tournées vers des véhicules plus petits, plus légers et mieux protégés[1]. De nouvelles techniques de construction modulaires plus polyvalentes ont été mises au point en vue de faciliter la récupération des pièces[2]. Tout cela fait en sorte que la technologie lourde a cédé la place à des systèmes hautement sophistiqués.

Les véhicules de transport ont donc connu de nombreuses modifications techniques. Ils sont plus légers, plus puissants, consomment moins d'essence et sont plus polyvalents. Pourtant, de nombreux pays ont fait supporter à ces véhicules le fardeau des réductions de budgets, de sorte qu'ils se trouvent présentement dans l'obligation de remplacer tout l'équipement. L'armée canadienne, par exemple, a renouvelé complètement ses flottes de véhicules tout terrain, ses camions légers et vient d'attribuer le contrat de remplacement de ses camions de moyen tonnage. La décision d'acquérir ces véhicules survient dans un contexte de recherche d'une harmonisation des équipements entre les pays membres de l'OTAN. Dix des 16 états membres

---

1. Ron Fletcher, "Crowing the Turreted Tank", dans *International Defense Review*, vol. 16, n° 1, 1983.
2. L. Lopez Ramon, "The US Armoured Family of Vehicles", dans *Armour 1987 Supplement*, 1987, pp. 53 et ss.

sont autonomes en matière de fabrication de véhicules routiers. La compétition est donc vive et les technologies nombreuses. Certains systèmes sont néanmoins parvenus à se donner une dimension internationale.

La situation un peu particulière de l'industrie automobile canadienne, qui se résume pour l'essentiel aux activités d'assemblage, fait en sorte que peu de pressions sont exercées en vue de mettre au point des systèmes de conception nationale. Les nouvelles acquisitions du ministère de la Défense nationale ont donc impliqué des systèmes étrangers. Ainsi le Canada s'est-il porté acquéreur de camions légers de conception allemande et de véhicules lourds allemands et américains. Il a en outre fait l'acquisition du char Leopard fabriqué par la multinationale Krauss Maffei. De même le système LAV (Light Armoured Vehicles) de G.M. Canada est basé sur une technologie d'origine américaine et le système de défense à basse altitude ADATS du consortium Oerlikon-Litton est de conception suisse.

La contribution des industries canadiennes à la fabrication des véhicules est donc limitée. Les chars Leopard acquis pour remplacer les vieux chars Centurion par exemple, dont le coût total s'est établi à 256 millions de dollars et dont la construction s'est échelonnée de 1976 à 1986, n'ont donné lieu qu'à un très faible contenu canadien. De même, les 87 véhicules de reconnaissance Lynx M113 commandés à FMC Corporation en 1985 ont résulté en peu de sous-contrats au Canada. Le seul contrat majeur obtenu par une usine canadienne a été attribué à la division diesel de G.M. localisée à London en Ontario[3]. Le marché plus étendu des véhicules de type LAV dont fait partie le Lynx, a cependant incité le gouvernement canadien à accroître le contenu national; 476 véhicules ont été construits par G.M. depuis l'octroi du contrat en 1977. Cette commande a permis de consolider la position de cette usine dans l'industrie militaire nord-américaine. Plus récemment toutefois, le gouvernement canadien a fait le choix d'accroître le niveau du contenu canadien des contrats[4].

Les entreprises canadiennes semblent donc présentement occuper dans le créneau militaire, une position plus stratégique que dans le passé. De même pourrait-on avoir l'impression que cette position est plus enviable que celle de l'industrie civile.

---

3. *Jane's Armour and Artillery 1984-85*, Jame's Publishing Inc., New York, p. 238.
4. Institut canadien pour la paix et la sécurité internationales, *Introduction aux politiques canadiennes relatives à la limitation des armements, au désarmement, à la défense et à la solution des conflits 1986-87*, Ottawa, ICPSI, 1987.

La nature particulière des filières technologiques à l'intérieur desquelles le Canada a fait le choix de s'inscrire contribue à réduire ou, devrions-nous plutôt dire, à diversifier sa dépendance technologique. Dans l'industrie civile, le marché canadien est presque complètement à la merci des firmes américaines. Chaque année, les nouveaux modèles sont conçus aux États-Unis et acheminés aux usines d'assemblage canadiennes. Le marché militaire repose sur une dynamique différente. Plusieurs contrats récents ont donné lieu à des transferts complets de technologie qui, bien qu'ils aient pu impliquer un haut niveau de contenu des pays d'origine, ont permis à certains constructeurs canadiens de s'approprier les techniques de construction et de commercialiser leur produit au plan international. Nous décrirons plus loin l'exemple de Bombardier, qui est à ce niveau un véritable cas d'espèce. Étant donné que les technologies militaires se modifient moins rapidement que les technologies civiles, la longévité des modèles est plus grande, plus stable et offre des possibilités plus grandes de tirer bénéfice des transferts technologiques. Au plan des exportations, le Canada demeure dépendant à plus de 80 % du commerce bilatéral avec les États-Unis[5].

À un autre niveau, la nature des systèmes militaires sur le plan technologique fait en sorte que les usines les mieux outillées sont celles qui disposent d'équipements de fabrication et d'assemblage de véhicules lourds. Tout naturellement, ces contrats ont été acheminés vers les fabricants de camions et de véhicules de transport en commun, où se concentrent la plupart des entrepreneurs de nationalité canadienne. Les contrats militaires sont donc perçus par les fabricants comme une voie de diversification qui permet de compenser le haut niveau de compétitivité des secteurs civils où ils évoluent.

Enfin, la flexibilité des contrats militaires permet à l'État, ici comme dans d'autres secteurs, de poursuivre une politique de soutien au développement régional. La localisation au Québec de deux centres majeurs, soit Bombardier et Oerlikon, fait que la position objective du Québec est meilleure dans l'industrie militaire qu'elle ne l'est dans l'ensemble de l'industrie civile.

---

5. Research Program in Strategic Studies, *Developing, Defense-Industrial Opportunities for Ontario: Prospects and Perspectives*, Toronto, mars 1986.

LA PLACE DE L'INDUSTRIE MILITAIRE

Avec un volume total qui oscille autour de 500 millions de dollars de ventes annuellement, la production de véhicules militaires représente environ 4 % de l'activité totale du secteur du matériel de transport roulant. Sur le plan strict de la production militaire, ce secteur se range au troisième rang des domaines d'exportation, derrière l'industrie aérospatiale et l'électronique. Environ 80 % de la production est exportée, presque exclusivement vers les États-Unis. On reconnaîtra ici les manifestations d'une dynamique industrielle semblable à celle qui prévaut ailleurs, car le Canada importe plus de 90 % des pièces dirigées vers ses usines d'assemblage. Le Canada a cherché à diversifier ses échanges commerciaux au cours des dernières années. L'analyse de la capacité de production des industries militaires a amené dernièrement le ministère des Approvisionnements et Services Canada à déclarer :

> En ce qui concerne les véhicules routiers, les programmes canadiens de recherche, de développement et de conception sont négligeables. L'industrie est capable d'intensifier sa production mais son approvisionnement "opportun" en pièces dépend fortement du transport routier (réseau nord-américain)[6].

Une grande partie des budgets affectés à l'achat et à l'entretien des systèmes est redistribuée à des entreprises situées de l'autre côté de la frontière. Cela modifie singulièrement le profil des retombées économiques au niveau du marché national.

Comme le démontre le tableau 7-1, les contrats militaires consentis par le gouvernement fédéral à l'industrie entre 1980 et 1986 se situent à environ 1 500 millions de dollars. Soixante-quatorze pour cent de ce budget a été versé à l'Ontario, contre 27 % au Québec, 2 % au Manitoba et 1 % aux autres provinces. La quote-part du Québec est plus importante dans l'industrie militaire que dans l'industrie civile. Quatre des dix principaux centres de fabrication de véhicules militaires sont localisés au Québec contre cinq en Ontario. Mais cette dernière province possède néanmoins des acteurs de tout premier plan. Le tableau 7-2 identifie les principales entreprises militaires de transport roulant au Canada.

---

6. Ministère des Approvisionnements et Services Canada, *Support industriel à la défense du Canada. L'étude de l'industrie du matériel de défense 1987*, Ottawa, MASC, 1987, p. 6.

Tableau 7-1
La production militaire de matériel de transport roulant par provinces, 1980-1985
(en millions de dollars et en pourcentage)

Provinces	Valeur (millions $)	%
Québec	350	23
Ontario	1 100	74
Manitoba	30	2
Autres	20	1
Total	1 500	100

Source: GRIMR, compilation de données publiques.

La division Diesel de la multinationale américaine G.M. est une des pierres d'assise de l'industrie militaire ontarienne. Cette usine fabrique des véhicules blindés sur roue (LAV) sous licence de la compagnie suisse Monag. Mille de ces véhicules ont été construits au cours des 10 dernières années. Ce véhicule dont la polyvalence du système d'attaque permet de poursuivre plusieurs cibles simultanément est d'ailleurs considéré comme une arme redoutable[7]. Ce véhicule a suscité l'intérêt du Pentagone, et la Marine américaine s'est récemment portée acquéreur de 758 d'entre eux. G.M. oeuvre aussi à la fabrication des M113, à la conception et à la fabrication du système de démarrage et dans l'assemblage de camions tactiques[8].

UTDC (Urban Transportation Development Corp.) est l'équivalent ontarien de Bombardier. Elle figure parmi les leaders de l'industrie du transport en commun. L'entreprise fabrique notamment des rames de métro, des wagons, des trains de banlieue et divers véhicules sur rail. Elle se consacre également à la mise au point de technologies pour le transport terrestre, fait de la gestion de projets, de la construction d'infrastructures, etc. Au cours des dernières années, elle a toutefois concentré ses activités sur quelques systèmes spécialisés, dont les véhicules rapides et légers articulés. En septembre 1986, le conglomérat québécois Lavalin achetait du gouvernement ontarien 85 % des

---

7. Canada, *Guide des produits de défense du Canada*, 1987.
8. Ernie Regehr, *Arms Canada, op.cit.*, pp. 90-91.

actions de UTDC. L'arrivée de Lavalin s'explique par un désir d'étendre son expertise. Dès son entrée au Conseil de la société, ses représentants se sont d'ailleurs empressés de rendre publique leur intention d'étendre hors du transport en commun les activités de leur nouvelle filiale[9]. Les produits de défense figurent parmi les créneaux de diversification identifiés. L'entreprise a donné priorité à ce dernier secteur. Une première soumission majeure pour la fabrication de 1 122 camions de 8 1/2 tonnes a été déposée en 1987. Etant le plus bas soumissionnaire avec une facture totale estimée à 250 millions de dollars, UTDC a coiffé au fil d'arrivée ses principaux concurrents, soit Bombardier, G.M. et Kenworth. Ce contrat place la société ontarienne en bonne position pour obtenir éventuellement les contrats de véhicules lourds prévus dans le livre Blanc (2 500 camions) dont la fabrication devrait débuter au début des années 90.

Tableau 7-2
Les grandes entreprises militaires de l'industrie du matériel de transport roulant au Canada 1980-1986

Entreprises	Province	Systèmes	Propriété	Valeur ('000,000$)
GM Canada	Ont.	Syst. divers LAV	GM É.U.	700
Bombardier	Qué.	ILTIS, Camions légers Motoneiges, motos	Bombardier Qué.	500
Oerlikon	Qué.	ADAT	Oerlikon-B Suisse	Après 86
Hawker-Siddeley	Ont.		Hawker-S G.B.	100
UTDC	Ont.	Camions lourds	Lavalin Qué.	200
Chrysler Can.	Ont.	Moteurs	Chrysler É.U.	100
Pratt & Whitney	Qué.	Moteurs	United Tech. É.U.	N.D.
Internat. Harvester	Ont.		Internat Hav É.U.	N.D.

Source: GRIMR, compilation de données publiques.

9. Lavalin, *Rapport annuel 1987*.

LA DYNAMIQUE QUÉBÉCOISE

La quote-part du Québec s'est donc établie, entre 1980 et 1985, à 23 % du volume canadien de production de véhicules routiers militaires. Tel qu'indiqué précédemment, cette performance est élevée lorsque comparée à la place plutôt modeste qu'occupent les entreprises québécoises dans l'industrie civile. Elle s'explique par la présence d'une industrie du transport lourd (camionnage et transport en commun) nettement plus dynamique. Mais, dans les faits, tout, ou presque, repose sur la société Bombardier. Le tableau 7-3 permet en effet de constater le fort déséquilibre de l'industrie québécoise. À elle seule, Bombardier est le point de chute de 2/3 des contrats dévolus aux entreprises québécoises. Qui plus est, la plupart des autres acteurs industriels, mis à part Oerlikon, sont confinés à des rôles secondaires.

Nous faisons état en détail des activités de Bombardier un peu plus loin. Retenons pour l'instant que l'entreprise québécoise a développé une expertise des systèmes militaires orientée surtout en direction des véhicules légers. Bombardier a jusqu'à maintenant assemblé quatre types de véhicules, soit des motoneiges, des motocyclettes, des camions et des véhicules tout terrain Iltis. Il s'agit dans les deux derniers cas de technologies étrangères dont elle a obtenu les licences d'exploitation.

Tableau 7-3
Les entreprises québécoises et la production militaire dans le secteur du matériel de transport roulant
1980-1986

Entreprises	Systèmes	Propriété	Valeur ('000,000 $)
Bombardier	ILTIS, Camions légers, motoneiges, motos	Bombardier Qué.	500
Oerlikon	ADATS	Oerlikon-B Suisse	N.D.
Partt & Whitney	Moteurs	United Tech É.U.	N.D.
Canam-Manac	Remorques	Qué.	20
Robert Mitchell	Pièces et blindages	Can.	N.D.
Sava-Stork	Pièces ADATS	Can./Italie	N.D.
Viteforge	Pièces de tank	Qué.	N.D.
Peacock	Pièces, valves		N.D.
UAP	Distribution	Qué.	N.D.

Source: GRIMR, compilation de données publiques.

L'implantation de l'usine Oerlikon à Saint-Jean-sur-Richelieu constitue l'événement majeur des dernières années dans l'industrie québécoise. Oerlikon a en effet modifié la structure du secteur au Québec. L'usine est la première et la seule à être totalement spécialisée dans les systèmes militaires. Elle agit d'ailleurs déjà comme fournisseur auprès de l'armée américaine.

La contribution d'une entreprise comme Canam-Manac à l'économie militaire est beaucoup plus modeste. L'implication militaire de la division Manac (Saint-Georges-de-Beauce) s'inscrit en fait dans le prolongement des activités civiles de la compagnie. L'entreprise fabrique des remorques de différents types. Elle a livré 2 000 remorques à l'armée canadienne au cours des dernières années.

On en vient à se demander si le secteur militaire ne joue pas un rôle de compensation pour les industriels québécois. À défaut d'obtenir une juste part dans l'industrie automobile, les producteurs québécois semblent s'être repliés sur ce secteur. L'importance des contrats octroyés dernièrement masque cependant des faiblesses auxquelles, tôt ou tard, l'industrie devra faire face. Le secteur est en effet un de ceux où l'expertise est la plus développée au plan international, et le marché mondial est littéralement congestionné. La possibilité réelle de réaliser des économies d'échelle dans l'univers militaire est limitée. Il y a donc lieu de s'interroger sur la stratégie que poursuit le Québec. La probabilité que les entreprises de la province parviennent à répéter dans le secteur militaire les exploits réalisés dans le transport en commun est faible. Dans ce dernier cas, le marché national a servi de tremplin et a rendu possible, grâce à un soutien gouvernemental actif, certaines percées sur les marchés extérieurs. La place objective plutôt modeste du Canada dans l'industrie de l'armement représente un obstacle indéniable.

Depuis de nombreuses années, le gouvernement québécois prétend que le partage régional inégal dans l'industrie automobile est une des causes de la fragilité de l'industrie québécoise et une des sources de la puissance de l'économie ontarienne. Or, le gouvernement fédéral a été maintes fois pointé du doigt comme le grand responsable de l'inéquité de ce partage. Peut-être doit-on dès lors interpréter le meilleur traitement offert aux fabricants québécois dans les créneaux militaires comme l'expression d'une politique de compensation des déséquilibres régionaux. Si tel est le cas, la capacité future de l'industrie québécoise est donc en partie tributaire de l'évolution du marché militaire. Or, les perspectives de ce marché sont encore plus limitées qu'ailleurs.

LES GRANDS ACTEURS INDUSTRIELS

Bombardier

Cette compagnie restera probablement pour de nombreuses années encore le symbole de la renaissance de l'entrepreneurship québécois. Cette réputation n'est pas injustifiée. Son nom est devenu synonyme de métros, locomotives, trains de banlieue, motoneiges, etc. Une rétrospective financière de la vingtaine d'unités de production (usines et filiales) qui composent ce petit empire au Canada, aux États-Unis et en Europe permet de constater que Bombardier jouit d'un rayonnement étendu. En 1987-88, les ventes du groupe ont atteint 1,4 milliard de dollars pour un bénéfice net de 42 millions. Au début des années 80, ces ventes étaient quatre fois moins élevées, et le bénéfice, sept fois plus faible. Que s'est-il donc passé entre temps? Premièrement, Bombardier a réalisé des acquisitions majeures dont la dernière en date, celle de Canadair, n'est pas la moindre. Deuxièmement, l'entreprise s'est engagé dans le marché de la défense, qui représente aujourd'hui environ 20 % de ses activités.

Le marché de Bombardier est d'abord et avant tout un marché d'État. Plus de 80 % du secteur du matériel de transport en commun dépend des politiques d'acquisition gouvernementales. Le financement des transactions est également fréquemment tributaire des conditions offertes par les organismes gouvernementaux. La recherche et le développement, la modernisation des équipements et les changements technologiques s'y sont effectués au cours de la dernière décennie en grande partie grâce aux subventions gouvernementales. Dans le cas spécifique de Bombardier, le marché de l'État canadien et le soutien prodigué par les différents paliers gouvernementaux ont été la pierre angulaire de la croissance de l'entreprise.

La petite histoire de Bombardier débute avec la découverte de la motoneige, faite par J. Armand Bombardier. De cette découverte émergea la première usine dans les années 40. Mais jusqu'en 1960 la production fut de type artisanal et Bombardier fabriqua ses motoneiges et autres véhicules sur commande seulement. Le véritable marché de masse n'apparaît qu'avec le début des années 60. En une dizaine d'années, le marché de la motoneige va connaître une véritable explosion. En 1950, Bombardier, alors seul fabricant d'Amérique du Nord, produisait 250 véhicules. En 1960, cette production atteindra 300 000 unités. La part du marché détenue par Bombardier tombera cependant à 50 %[10]. L'entreprise choisira ce moment pour devenir société publique et étendre ses propriétés à l'extérieur du Québec, avec l'achat de deux entreprises autrichiennes. Cette décision lui permettra de préserver son leadership dans un marché en pleine ébullition[11].

Le déclin de l'industrie s'amorce en 1973. Des concurrents ferment leur porte, les ventes de Bombardier chutent. Elle est donc confrontée à son premier choix historique: demeurer fidèle à la motoneige et réduire son volume de production, ou continuer dans la voie de la croissance en diversifiant ses opérations. La production en série de motoneiges ayant donné au management de l'usine l'expertise de la gestion des chaînes de montage, on tentera de mettre à profit ce savoir-faire pour lancer de nouveaux produits. Une première tentative débouche sur la mise en marché du scooter aquatique. C'est l'échec. Bombardier s'attaque simultanément au marché de la motocyclette. L'entreprise ne réussira jamais à percer sur marché de la moto de route. Un niveau de production modeste sera maintenu pendant quelques années, puis la technologie sera adaptée aux besoins militaires et constituera la première tentative sérieuse d'obtenir des contrats de défense.

Ces échecs vont amener la direction à explorer de nouveaux marchés et à s'intéresser à de nouvelles technologies. En 1973-1974, Bombardier aura une occasion inespérée de prendre pied dans l'industrie du transport en commun. La ville de Montréal planifie l'agrandissement du métro et de nouveaux wagons doivent être construits. Bombardier s'appuiera sur la technologie de deux firmes françaises, soit la Compagnie industrielle de matériel de transport et Alsthom, pour établir sa crédibilité auprès des autorités montréalaises[12]. Il s'agira de sa première expérience de fabrication sous licence. Bombardier décrochera le contrat, amorçant du même souffle, dans une industrie à l'époque présumée en pleine croissance, la première phase de sa diversification. Une seconde étape encore plus importante est franchie en 1975 avec l'acquisition de MLW-Worthington. MLW est reconnue comme le troisième plus important manufacturier de locomotives diesels électriques de l'hémisphère occidental et est appelée à prendre une place de premier plan dans le développement des compagnies qui font partie du groupe Bombardier[13].

10. Voir J. Robidoux, *Facteurs de croissance de l'industrie canadienne de la motoneige (1959-1978)*, Rapport de recherche, MIC, Ottawa, 1978.
11. *Idem.*
12. La société Alsthom négocie à l'époque avec d'autres firmes québécoises. Elle s'alliera notamment avec la SGF dans Marine Industrie.
13. Bombardier, *Rapport annuel 1975*, p. 3.

On a beaucoup commenté l'achat de MLW. Plusieurs considèrent que cette acquisition a permis à Bombardier d'entrer dans les ligues majeures, la forçant à modifier de façon radicale sa stratégie commerciale. On ne soulignera jamais assez le caractère hautement stratégique du soutien consenti par diverses institutions gouvernementales (dont la Caisse de dépôt et placement du Québec), dans cette transaction. En fait, Bombardier est devenue un des bancs d'essai de la nouvelle politique gouvernementale destinée à favoriser l'émergence de grandes sociétés sous contrôle québécois[14].

La fabrication de locomotives ouvrira à Bombardier de nouveaux horizons au plan des exportations. En 1977 par exemple, 72 % des ventes se sont faites hors du Québec, notamment au tiers monde. L'entreprise misa, par ailleurs, sur un nouveau concept de trains, le LRC, pour étendre et diversifier son marché. Elle s'intéressa enfin à d'autres fabricants localisés autant à l'intérieur qu'à l'extérieur du Québec. Une tentative d'achat de Marine Industrie échoua en 1975, mais d'autres transactions débouchèrent sur des prises de contrôle en Irlande. Bombardier acheta en outre Héroux Inc., un fabricant de trains d'atterrissage localisé à Longueuil. À la fin des années 70, le complexe comprenait 13 usines, dont 11 étaient localisées au Québec.

Les effets de l'inflation se feront cependant de plus en plus lourdement sentir. À la fin des années 70 , à l'instar des États-Unis, le Canada amorcera une phase de resserrement des dépenses publiques. Plusieurs programmes gouvernementaux seront affectés. Les budgets de renouvellement des équipements publics, entre autres, subiront divers rééchelonnements, sapant d'autant le marché des fabricants de matériel de transport en commun. Le prix des systèmes deviendra en outre une préoccupation de plus en plus centrale pour les milieux politiques.

Le ralentissement du marché du matériel de transport en commun, auquel s'ajoutèrent différents problèmes liés aux technologies de Bombardier (LRC notamment), obligea l'industriel québécois à revoir sa politique de développement. Cette remise en question déboucha sur une nouvelle stratégie entrepreneuriale, où les contrats militaires furent mis à contribution.

Le début des années 80 donna lieu à un grand remue-ménage. Deux hivers sans neige firent à nouveau chuter les ventes de motoneiges et Bombardier fut confrontée à de nouvelles difficultés financières. Une partie de l'effort de relance fut canalisée du côté de la fabrication de trains de banlieue. La croissance étant cependant limitée dans ce créneau, l'entreprise rechercha de

---

14. Voir Yves Bélanger et Pierre Fournier, *L'entreprise québécoise, développe-ment historique et dynamique contemporaine*, Montréal, Hurtubise HMH, 1987.

nouvelles sphères d'activité. Suite à la signature d'une entente avec le fabricant soviétique Lada, une tentative fut faite en début d'année en direction de l'industrie automobile. Le projet sera ultérieurement abandonné. Une nouvelle usine fut construite au Vermont en vue de se plier aux exigences du *Buy America Act*. Quelques mois plus tard, Bombardier décrocha le contrat du métro de New York, le plus fabuleux de son histoire (1 milliard de dollars). Via Rail déposa enfin une nouvelle commande pour un train LRC dont la fabrication assura temporairement le niveau d'activité de l'usine de Montréal. Mais la viabilité de celle de Valcourt, l'âme même de l'entreprise, qui regroupait les opérations de fabrication de motoneiges, demeurait précaire.

Un plan de modernisation de 42 millions de dollars, dont 11,3 versés par les gouvernements, fut annoncé fin 1980. Valcourt reçut plus du tiers de cette somme en vue d'adapter ses chaînes de montage à de nouveaux produits. Au cours de l'année, un centre de recherche militaire mis sur pied près de l'usine, annonçait la mise au point d'une motoneige militaire. Six cent onze unités furent vendues quelques semaines plus tard à la Belgique. C'est à ce moment que Bombardier fit officiellement son entrée dans l'univers de la production militaire. Précisons cependant que les dirigeants de l'entreprise n'en étaient pas à leurs premières armes sur ce marché. Bombardier avait déjà vendu des motoneiges à l'armée au cours des années antérieures. Elle était en outre présente dans le créneau de l'aéronautique militaire par l'intermédiaire de sa filiale Héroux, elle-même spécialisée dans la fabrication de trains d'atterrissage pour avions militaires. Par ailleurs, des membres de la direction siégeaient au Conseil d'administration de la société Space Research qui, à l'époque, figurait parmi les plus importants fabricants d'armes de la province. Sa faillite, provoquée par l'éclatement d'un scandale lié à l'exportation d'armes vers l'Afrique du Sud, fournit l'occasion à Bombardier de se porter acquéreur d'équipements de haute précision et d'une partie des installations de l'usine démantelée[15].

La militarisation des activités de Bombardier fut confirmée par la création d'une nouvelle unité administrative, la division des produits récréatifs et utilitaires, où furent regroupées les activités de fabrication d'équipements militaires et celles liées à la fabrication de motoneiges.

Bombardier s'était fixée des objectifs en matière de contrats militaires qui l'amèneront à refuser certaines offres. Ainsi rejeta-t-elle une proposition de McDonnell Douglas de participer à titre de sous-traitant au projet du F-18. L'objectif de Bombardier était en effet d'acquérir de nouvelles technologies

15. Gilles Provost, "Bombardier offre d'acheter une partie de Space Research", *Le Devoir*, 10 novembre 1980.

susceptibles de permettre une commercialisation à grande échelle. Cette stratégie ayant été mise à l'essai avec succès dans le secteur du matériel de transport en commun, le militaire fut scruté systématiquement en vue d'identifier des systèmes susceptibles de permettre la mise en route d'une démarche semblable. Une occasion se présenta quelques mois plus tard suite à la décision de la société allemande Volkswagen de se retirer de la fabrication des véhicules militaires tout terrain. Bombardier acheta les droits de fabrication du véhicule Iltis et décrocha un premier contrat auprès de l'armée canadienne. Une formule semblable lui avait permis un an plus tôt d'obtenir, suite au transfert d'une technologie américaine, un contrat de 2 700 camions militaires de 2 1/2 tonnes (M-35 CDN). Ces deux systèmes seront les nouvelles pierres d'assise de la stratégie de Bombardier dans l'industrie militaire.

Bombardier cherche à spécialiser sa production militaire dans des systèmes qui offrent des perspectives de croissance au plan international. Pour cette raison, on a vendu Héroux, cette entreprise étant trop centrée sur la sous-traitance. Pour cette raison également, Bombardier a mené une chaude lutte à UTDC en vue d'obtenir le contrat de fabrication de camions militaires de moyen tonnage.

Une autre étape importante de l'histoire de Bombardier a été franchie en 1986 avec l'achat de Canadair. Cette acquisition survient au moment même où Canadair effectue un virage en direction des marchés militaires[16]. C'est d'ailleurs en grande partie pour cette raison que Bombardier a procédé à la transaction. Le maître d'oeuvre québécois prend un virage résolument militaire et ne cache pas ses intentions de s'établir dans le marché international de la défense. L'achat récent de l'entreprise irlandaise Short Brothers leur permet en outre de s'implanter en Europe dans la fabrication d'avions militaires et de missiles. La direction de l'entreprise québécoise ne cache pas par ailleurs ses ambitions de consolider sa présence sur le marché de la défense américain. A notre avis, Bombardier est en voie de devenir la première firme multinationale de l'armement du Québec.

Oerlikon

Avant de nous attaquer à la description des activités de sa nouvelle usine québécoise, rappelons qu'Oerlikon-Burhle (d'origine suisse) est une des

---

16. Voir le texte sur l'aéronautique.

multinationales les plus influentes de l'armement. Le groupe a réalisé en 1986 un chiffre d'affaires de 3 milliards de dollars et emploie 31 000 personnes. Il s'agit d'un des acteurs les plus puissants de l'industrie militaire européenne. L'implantation d'Oerlikon au Canada ne découle pas principalement du contrat pour la construction des 26 chars de type ADATS (650 millions de dollars au total), qui est somme toute assez modeste, mais plutôt des perspectives fabuleuses offertes par le marché américain. Oerlikon s'est lancée dans la course à la conception de systèmes de défense à basse altitude avec l'inconvénient de devoir vendre une idée abstraite. Contrairement à ses principaux concurrents, dont les systèmes étaient déjà implantés un peu partout dans le monde, Oerlikon proposait un appareil d'un type encore expérimental, conçu par le géant américain de l'armement Martin Marietta[17]. Oerlikon se devait donc d'effectuer une percée avant de s'attaquer au marché américain. Le Canada lui a fourni l'occasion d'établir sa crédibilité.

Pour décrocher le contrat canadien, Oerlikon a dû faire des concessions. Contrairement à ses concurrents qui offraient surtout des occasions d'exportation indirectes, Oerlikon a vite compris que la question des retombées économiques directes serait au centre de la décision. L'entreprise a donc pris des engagements divers au niveau des investissements et de la sous-traitance, promettant un contenu canadien de 80 %, notamment la construction d'une usine de radars à l'Île-du-Prince-Édouard et celle d'une usine d'assemblage au Québec. Ce dernier engagement visait manifestement à faire contrepoids à la promesse du groupe Bofors/Marconi qui s'était précédemment engagé à créer 900 emplois au Québec[18]. Or, le Québec venait tout juste de perdre le contrat de modernisation du système de surveillance du Nord[19]. Ottawa prévoyait utiliser le contrat du système de défense à basse altitude pour faire taire la contestation: Oerlikon promit donc 800 emplois au Québec, dont 300 dans la ville de Saint-Jean, où on a choisi d'implanter la nouvelle usine grâce aux efforts assidus de l'ex-ministre fédéral André Bissonnette.

Le contrat du système de défense à basse altitude se chiffre à 1 milliard de dollars, dont 510 millions versés pour l'acquisition des véhicules fabriqués par Oerlikon. Oerlikon s'est associée à plusieurs firmes canadiennes dont Litton, CAE, G.M., Devtek, Bendix et GRS. De façon générale, le partage du

---

17. James Bagnall, "Three Left in Running for Air-Defense Contract", dans *Financial Post*, 7 décembre 1985.
18. Jocelyn Coulon, "A.B. Bofors promet des retombées de 850$ millions dont la moitié au Québec", *Le Devoir*, 11 janvier 1985.
19. P.C., "Surveillance du Nord, Canac et Microtel ont décroché un contrat de 268$ millions", *Le Soleil*, 22 novembre 1985.

contrat s'effectue de la façon suivante: les Maritimes héritent de l'usine de radar (400 emplois), administrée par Litton; le Québec de l'usine d'assemblage (300 emplois) et de la fabrication des simulateurs (CAE); l'Ontario assume la fabrication des systèmes électroniques (Litton, Spar), des prises de conduction (Devtek), des tourelles (Dowty) et de la modification des véhicules (G.M.).

En décembre 1987, Oerlikon atteignait son but avec l'obtention d'un contrat de 2,5 milliards de dollars du Pentagone pour la construction de chars blindés munis de missiles anti-aériens. Cent-soixante-dix nouveaux chars seront construits, dont 70 par Oerlikon. L'assemblage de ce dernier bloc de véhicules sera assumé par l'usine de Saint-Jean. Des travaux d'agrandissement ont été entrepris, le nombre d'employés devrait passer d'ici peu à près de 700. Cette percée a amené Oerlikon à prendre la décision de se doter d'un centre d'ingénierie, qui sera au coeur de ses activités de R-D. Quatre-vingt millions de dollars ont été dégagés pour la recherche affectée aux contrats en cours[20]. Oerlikon devient donc un compétiteur de premier niveau au sein du complexe militaro-industriel canadien.

*

* *

L'industrie militaire joue donc un rôle tout à fait particulier dans l'industrie du matériel de transport roulant. Même si les budgets en cause sont moins importants que ceux des autres secteurs et même si, objectivement, le niveau de dépendance face à la production de défense est moindre, la fonction des contrats militaires auprès des maîtres d'oeuvre est stratégique. Non seulement ce domaine d'activité est-il à la base d'une bonne partie de l'expertise provinciale, mais il se révèle être un des rares champs d'activité où le Québec parvient à soutenir la compétition ontarienne. On devine dès lors pourquoi Bombardier s'est tournée vers ce marché comme on comprend pourquoi le gouvernement québécois s'est battu pour obtenir l'usine d'Oerlikon. Dans les deux cas, l'objectif était de permettre au Québec d'oeuvrer dans le secteur autrement que comme simple sous-traitant. L'option militaire est donc la conséquence de l'incapacité de la province d'imposer sa présence dans l'industrie civile. Malheureusement, l'attrait des contrats de la défense fait son oeuvre et les principaux acteurs du secteur se laissent actuellement entraîner

---

20. Paul Durivage, "Oerlikon décroche un contrat de 2,5$ milliards du Pentagone", *La Presse*, 1er décembre 1987.

sur une pente qui pourrait bien les mener dans le marécage où pataugent déjà plusieurs fabricants des autres secteurs d'activité.

CHAPITRE 8
LES MUNITIONS

L'élément le plus frappant du secteur des munitions concerne le caractère hautement spécialisé et isolé de la production militaire. On prétend souvent que cette dernière entraîne de multiples retombées au niveau de l'industrie civile, qu'elle stabilise les marchés d'entreprises souvent vulnérables ou encore qu'elle soutient l'emploi en période économique difficile. Ce portrait ne correspond aucunement à la réalité du secteur. L'industrie est découpée en deux blocs. Un premier groupe d'entreprises, impliqué dans le sous-secteur de la fabrication d'explosifs, réalise une production (explosifs primaires) dont l'usage militaire est limité (moins de 20 %). Un second groupe, composé du seul fabricant de poudre propulsive au Canada et de deux usines de munitions, se consacre pour sa part presque exclusivement aux activités de production militaire (dans une proportion supérieure à 80 %). Ces deux filières cohabitent au Québec avec peu de contacts entre elles.

L'isolement des usines militaires s'explique en grande partie par la mission qui leur a été dévolue par le gouvernement canadien. À la suite d'une analyse fouillée des conditions d'approvisionnement de l'armée, le gouvernement constatait en 1977 sa grande dépendance à l'endroit des fournisseurs étrangers dans le domaine des munitions. Il décida donc de dégager des ressources en vue d'acquérir une plus grande autonomie. Certaines usines dont les Arsenaux canadiens et les Industries Valcartier se sont vu attribuer le statut de fournisseurs stratégiques. Des fonds furent injectés en vue de moderniser les procédés de production et d'améliorer la qualité des produits. Une politique d'achat préférentielle fut adoptée, et, tout naturellement, les entreprises impliquées investirent plus massivement encore le secteur militaire. Tous les nouveaux investissements furent orientés vers ce segment du marché, au détriment de la production civile.

Récemment, une nouvelle évaluation des activités de support à la défense amenait le gouvernement canadien à conclure que la situation de grande vulnérabilité face aux fournisseurs étrangers a été en grande partie redressée. Les producteurs nationaux assument entre 50 % et 60 % des besoins de l'armée. On songe donc de plus en plus à favoriser une compétition accrue entre les usines canadiennes et les usines américaines. Dans cette perspective, il est probable qu'on abandonnera progressivement la politique d'approvisionnement qui a jusqu'à maintenant servi les intérêts des entreprises québécoises.

Par ailleurs, l'OTAN poursuit depuis quelques années une politique intensive d'harmonisation de la production dans le secteur. Cette politique a eu deux effets majeurs: 1° décloisonner les marchés nationaux et promouvoir les exportations; 2° inciter les producteurs à spécialiser leur production tout en améliorant leur niveau de compétitivité. Les principaux producteurs canadiens cherchent présentement à élargir leur accès au marché international. Pour ce faire, ils modernisent les créneaux les plus prometteurs en fonction des normes techniques internationales. Comme résultat, le fossé se creuse entre les marchés civils existants et les marchés militaires.

Mais il y a un revers à la médaille. La période de remplacement des équipements militaires tire à sa fin. A moins que n'éclate une nouvelle guerre, le marché des fournisseurs canadiens sera, au plan national, un marché de remplacement. Une baisse générale du volume des ventes est donc à prévoir. Plusieurs entreprises ont dû rationaliser leur production. Ainsi, en moins d'un an, 680 emplois ont été perdus, ce qui nous autorise à affirmer que le militaire est ici devenu non plus une source de croissance, mais la cause d'un profond marasme.

LA PLACE DE L'INDUSTRIE MILITAIRE

Les ventes dans le secteur de l'armement se chiffrent annuellement à 1,2 milliard de dollars. La part des produits civils s'établit à 400 millions; celle des produits de défense représente donc les deux tiers de toute la production.

Les rares chiffres disponibles sur les exportations d'armes et de munitions indiquent un volume d'expédition de 130 millions de dollars par année dirigé à 80 % vers le marché américain. Les importations s'établissent pour leur part à 190 millions en provenance, elles aussi, des États-Unis (72 %).

Tableau 8-1
Les grandes entreprises militaires de l'industrie de l'armement au Canada
1980-1986

Entreprises	Province	Systèmes	Propriété	Valeur (millions)
Litton	Ont.	Missiles, composants Divers	Litton É.U.	100
Arsenaux canadiens	Qué.	Munitions gros calibre	SNC Qué.	500
Industries Valcartier (IVI)	Qué.	Munitions petit calibre	SNC Qué.	150
Diemaco	Ont.	Armes, munitions	Can.	110
Bristol	Man.	Munitions	Rolls Royce G.B.	85
Oerlikon	Qué.	Pièces missiles	Oerlikon Suisse	N.D.
CAE	Qué.	Pièces missiles	CAE Can.	N.D.
Ernst Leitz	Ont.	Missiles	Wild Heerbur Suisse	15
Victrix	Ont.	Missiles	Phibro-Salomon Bermudes/É.U.	N.D.

Source: GRIMR, compilation de données publiques.

Les grandes entreprises de l'industrie de l'armement au Canada sont présentées au tableau 8-1. Le secteur est divisé en trois blocs qui regroupent respectivement la fabrication de missiles, les munitions conventionnelles et la production des poudres propulsives et des explosifs. La fabrication des missiles s'appuie essentiellement sur les grands fabricants de l'industrie électronique. La plus grande partie de la production est conséquemment exécutée en Ontario. Le marché des munitions est formé de deux groupes. Le premier groupe fabrique des munitions de petit calibre, le second contrôle la fabrication des obus. Cette dernière production relève exclusivement des Arsenaux canadiens qui jouissent d'une position de monopole à l'intérieur des frontières nationales, alors que la production des munitions de petit calibre est partagée entre différentes industries de production. La plus importante d'entre elle est située au Québec, il s'agit de la société IVI.

Le segment des explosifs et poudres propulsives, dont la fonction principale est d'alimenter en matière première les fabricants de munitions, fait face à une situation fort différente. La nature des marchés varie selon les caractéristiques de la production. Expliquons-nous. L'activité est partagée en trois blocs: les poudres propulsives, les explosifs primaires et les explosifs militaires de type A et B. Les poudres propulsives peuvent, selon le procédé chimique, être d'application civile ou militaire, mais les poudres proprement militaires sont de conception plus complexe. Environ 80 % de la production de poudre canadienne est destinée à ce dernier marché. Les explosifs primaires (TNT) ont une mission essentiellement civile et sont requis principalement par l'industrie minière et l'industrie de la construction. Une partie de la production entre cependant dans la fabrication d'une matière première (bouillie) d'usage militaire utilisée dans certains types de munitions de gros calibre. Vingt pour cent de la production de ce segment du secteur serait ainsi destiné aux munitions militaires. Enfin les explosifs de composition A et B sont utilisés exclusivement pour les produits de défense. Au Canada, le marché civil est dominé par la société britannique CIL, alors que le marché militaire est sous le contrôle exclusif de la société Expro.

Entre 1980 et 1987, 253 contrats militaires de fabrication d'explosifs, de poudres propulsives, de munitions d'obus et de missiles ont été accordés à plus d'une centaine d'entreprises au Canada.. L'analyse de la répartition des contrats militaires permet d'identifier les principaux bénéficiaires des dépenses en achat d'armements. Au cours des sept dernières années, 15 entreprises se sont partagé 98 % du budget affecté à ce poste par la Défense nationale. Mais cette statistique projette une image encore trop généreuse de la concentration industrielle du secteur car, en fait, la quasi totalité (96 %) de ces fonds ont été administrés par cinq firmes seulement, soit les Arsenaux canadiens, les Industries Valcartier, Diemaco, Litton et Bristol, dont les activités sont concentrées au Québec, en Ontario et au Manitoba. Qui plus est, au fil des ans, ces cinq entreprises ont évolué collectivement dans une direction qui a permis d'éviter la concurrence directe. Diemaco, les Industries Valcartier et les Arsenaux canadiens se partagent la fabrication des munitions conventionnelles, pendant que Litton et Bristol ont pris la tête de la fabrication de missiles guidés. Litton a, par exemple, obtenu un contrat de 1 milliard de dollars lié à la fabrication des missiles Cruise.

Ce découpage technique du marché entre les grands complexes industriels du pays est également le reflet d'un certain partage géographique de la production. Tel qu'indiqué au tableau 8-2, la production canadienne de munitions, de poudres, d'explosifs et de missiles est concentrée à 96 % dans le centre du pays, soit 63 % en Ontario et 33 % au Québec, les provinces excentriques n'ayant qu'un accès limité à ce marché. Les données présentées aux tableaux 8-3 et 8-4, permettent en outre, de constater que le Québec est responsable de 71 % de la production des poudres propulsives, des explosifs et des munitions, alors que l'Ontario détient un monopole quasi absolu sur la production des missiles et des pièces de missiles guidés.

Tableau 8-2
Répartition régionale de la production militaire reliée à la fabrication de munitions, d'explosifs, de poudres propulsives et de missiles, Canada, 1980-1986 (en pourcentage)

Ontario	63
Québec	33
Manitoba	4
Canada	100

Source: GRIMR, compilation de données publiques.

Tableau 8-3
Répartition régionale de la production militaire reliée à la fabrication de munitions, d'explosifs et de poudres propulsives Canada, 1980-1986 (en pourcentage)

Ontario	19
Québec	71
Manitoba	10
Canada	100

Source: GRIMR, compilation de données publiques.

Tableau 8-4
Répartition régionale des contrats militaires liés à la fabrication de missiles et pièces de missiles
Canada, 1980-1986
(en pourcentage)

Ontario	98
Québec	2
Autres	—
Canada	100

Source: GRIMR, compilation de données publiques.

Il faut cependant souligner que l'arrivée au Québec de Oerlikon, dont la fabrication de missiles est un des champs de spécialisation, et son association à CAE Electronique a fait émerger une nouvelle filière au Québec dans le secteur des missiles. Oerlikon aurait reçu en 1987 un contrat de près de un demi milliard de dollars pour la fabrication des systèmes. Cette somme n'a cependant pas été utilisée uniquement au Québec. Une partie du contrat été redistribuée aux firmes ontariennes qui occupent une place névralgique dans la fabrication des circuits électroniques requis pour la fabrication de missiles.

Une nouvelle entreprise de l'ouest, la Canadian Professional Munition, s'est pour sa part fixé pour objectif de ravir aux Industries Valcartier sa position de fournisseur principal de l'armée canadienne dans le domaine des munitions de petits calibres.

LA DYNAMIQUE QUÉBÉCOISE

La part de la production militaire canadienne confiée à des entreprises québécoises représente une somme globale de près de 700 millions de dollars depuis 1980. Bien qu'une dizaine d'entreprises (voir tableau 8-5) aient été actives sur ce marché, l'étude de la répartition des contrats permet de constater que, dans la pratique, cette industrie repose sur trois compagnies principales, soit Expro au niveau de la fabrication de poudres et explosifs, les Industries Valcartier (IVI) et les Arsenaux canadiens (ACL) pour la fabrication de munitions. A elles seules, ces trois entreprises ont touché plus de 99 % des fonds alloués à la production du secteur au Québec.

Le sous-secteur de la fabrication des poudres et explosifs compte trois autres producteurs engagés dans la fabrication de produits militaires, soit CXA, CIL et Hands Firework. Ces trois sociétés ne consacrent qu'une part réduite de leurs activités à l'industrie militaire. CXA fabrique plus de 2 000 produits destinés surtout à l'industrie civile. CIL se spécialise dans la fabrication d'explosifs destinés principalement à l'industrie de la construction, mais dont certains dérivés sont utilisés dans la fabrication de bombes. Hands Firework fabrique enfin des pièces pyrotechniques auxquelles s'ajoutent des artifices militaires.

Tableau 8-5
Les entreprises québécoises du secteur des munitions
1980-1986

Entreprises	Systèmes	Propriété	Valeur (millions)
Arsenaux canadiens	Munitions gros calibre	SNC Qué.	500
Industries Valcartier IVI	Munitions petit calibre	SNC Qué.	150
CAE	Pièces missiles	CAE CAN.	N.D.
Oerlikon	Pièces missiles	Oerlikon-B Suisse	N.D.
Expro	Poudres propulsives Explosifs	Welland/Dafina Can.	50
CIL	Explosifs primaires	Imperial Che. G.B.	N.D.
Hands Fireworks	Grenades fumigènes Simulateurs	Can.	N.D.
CFH Protection	Distribution, remplissage extincteurs	Can.	N.D.
Triplex Engineering	Pièces	Can./Suisse	N.D.
CXA	Mèches	Imperial Che. G.B.	N.D.

Source: GRIMR, compilation de données publiques.

Contrairement à ce que nous avons pu constater dans plusieurs secteurs étudiés précédemment, les entreprises de production d'explosifs et de munitions sont principalement sous contrôle canadien. Expro est détenue à

95 % par les sociétés Welland Chemical, Dafina Holding ACL et IVI appartiennent au consortium d'ingénierie québécoise SNC. Les sociétés étrangères semblent ici n'évoluer qu'à la périphérie du marché militaire, contrôlant plutôt une part importante du marché civil des explosifs primaires (Imperial Chemical et Du Pont).

Les entreprises de l'armement s'intéressent peu à la sous-traitance. Il s'agit, dans la plupart des cas, de complexes intégrés où sont conçus et assemblés des produits finis. Seule ACL, qui est une usine d'assemblage, fait exception à cette règle. Mais, même dans ce cas, la dépendance des sous-traitants s'exerce à l'intérieur du marché national et non pas face à la production étrangère.

La forte intégration de l'industrie nationale permet d'expliquer l'intérêt inégal qu'ont accordé jusqu'à récemment les grands producteurs aux marchés extérieurs. La quasi totalité des munitions produites par ACL et IVI sont destinées au marché national canadien. Ces deux grandes fabriques sont en fait les principaux fournisseurs de l'armée canadienne, avec laquelle elles entretiennent des relations très étroites. Réciproquement, l'armée canadienne a accordé une part sans cesse croissante de ses commandes de munitions à ces mêmes entreprises, au détriment des fournisseurs étrangers. Cela fait en sorte que, présentement, plus de 80 % de la production militaire réunie des deux usines est acheté par le ministère de la Défense nationale.

L'accroissement des exportations figure cependant en tête des priorités des usines de munitions québécoises. Tel qu'indiqué précédemment, les perspectives du marché national ne sont pas très brillantes pour les années à venir. Les projections des Arsenaux canadiens, par exemple, laissent entrevoir une baisse d'environ 50 % des commandes du ministère de la Défense nationale. Dans le but de maintenir et, si possible d'accroître son niveau de production, l'entreprise a pour projet de tripler ses exportations d'ici cinq ans[1]. Ces dernières représenteraient ainsi entre 20 % et 25 % du chiffre d'affaires en 1992. Le virage que s'apprête à prendre ACL s'inscrit dans le sens de la démarche entreprise au début des années 80 par IVI. Pour sa part, Expro exporte déjà près de 90 % de sa production de poudres civiles et militaires vers les marchés américains et européens.

Cette industrie s'internationalise donc de plus en plus. L'intégration des équipements de combat au sein des pays de l'OTAN a entraîné une révision des standards en matière de munitions, qui risque fort, au cours des prochaines années, d'accentuer la concurrence internationale en invitant un

1. Les Arsenaux canadiens, *Documents internes*, 1987.

plus grand nombre de pays à exporter. Dans cette perspective, IVI à entièrement automatisé sa chaîne de production de munitions pour armes légères (mitraillettes) 5,56 mm. Elle tente présentement de percer le marché américain. De même, ACL a investi massivement dans la recherche et dans la production de munitions de 155 mm et de 105 mm, dans l'espoir de pénétrer le marché de l'OTAN. Mais les résultats concrets ne sont pas à la hauteur des attentes. Les producteurs canadiens vivent présentement une période de restructuration qui a de nombreux effets négatifs sur l'emploi. Au cours de la seule année 1988, 685 des 3 000 emplois du secteur ont été perdus suite à l'abandon de certains produits et à l'introduction de nouveaux équipements de production.

LES GRANDS ACTEURS INDUSTRIELS

Le groupe SNC — les Arsenaux canadiens

Créée en juillet 1940 à Saint-Paul-l'Ermite, aujourd'hui Le Gardeur, l'entreprise comptait alors plus de 200 bâtiments consacrés à la fabrication de bombes et de cartouches pour armer les soldats canadiens. Mais, avec la réorganisation de l'industrie canadienne qui suivit la fin de la guerre, elle tomba sous la coupe des Arsenaux canadiens, société d'État qui regroupait les activités d'une dizaine d'usines de l'Ontario et du Québec. La production des Arsenaux canadiens était alors destinée entièrement au ministère de la Défense nationale. Mal gérée, l'entreprise était confrontée à une situation déficitaire chronique, lors de l'adoption de la nouvelle politique de défense en 1971.

L'entreprise reçut en 1976 le mandat de rentabiliser ses immobilisations et de contribuer à la réduction de la dépendance du Canada face à ses fournisseurs étrangers, sur le plan militaire. La division ontarienne de Kitchener fut privatisée et les installations de Le Gardeur modernisées (en abandonnant la moitié des bâtiments) au coût de quelque 3,6 millions de dollars. Le déficit accumulé de 8 millions au 31 décembre 1978 se transforma en un surplus de 11,3 millions en 1985[2]. En 1982 la démolition de la douillerie de IVI, localisée dans le port de Québec, amena le gouvernement canadien à doter les Arsenaux d'une douillerie neuve à Saint-Augustin, près de Québec.

---

2. Arsenaux canadiens, *Documents internes*, 1985.

Rentables, en bonne partie modernisés, les installations des Arsenaux ont finalement été vendues en mai 1986 à la firme SNC au coût de 92 millions de dollars. Il s'agit d'un véritable cadeau de la part du gouvernement fédéral[3]. Cette générosité est attribuable à plusieurs facteurs. Au moment où SNC a acheté ACL, la société d'ingénierie québécoise (deuxième après Lavalin) faisait face à une importante crise imputable à l'effondrement du marché international des grands projets de construction[4]. Les revenus d'honoraires de SNC ont chuté de façon importante au début des années 80. La vente d'ACL a donc été un moyen d'éviter la faillite. Par ailleurs, nous avons indiqué précédemment que le gouvernement canadien poursuit depuis 1978 une politique orientée vers l'auto-suffisance financière des usines de munitions. Or, cette indépendance financière ne peut passer que par les exportations. La vente à SNC a peut-être facilité le processus en évitant que le gouvernement ne s'engage trop directement dans les transactions internationales.

Les Arsenaux produisent presque exclusivement pour des fins militaires, exception faite d'une petite fabrication de masques à gaz, très marginale par rapport à sa production globale destinée à 92 % à la défense. Cette production consiste surtout en obus de moyens et de gros calibres, tout particulièrement les munitions d'infanterie de 155 mm, 105 mm et de 76 mm, qui constituent environ 60 % des ventes. L'usine fait surtout de l'assemblage; de nombreux sous-traitants fabriquent les pièces, ce qui les rend fortement dépendants des Arsenaux.

Etant le seul fournisseur canadien de projectiles de calibres supérieurs à 40 mm, l'entreprise s'appuie sur un marché partiellement protégé. Avant la révision de son mandat en 1976, les Forces armées canadiennes s'approvisionnaient principalement auprès des producteurs étrangers. Tel qu'indiqué précédemment, la stratégie de croissance de ACL a été orientée vers la substitution des importations. Son chiffre d'affaires est passé de 8 millions de dollars en 1978 à 165 millions en 1987. Depuis la privatisation, les états financiers de l'ex-société d'État ne sont plus publiés. Notons toutefois que le dernier rapport annuel de SNC fait état d'un carnet de commandes de 249 millions pour 1985-1986[5].

Une estimation conservatrice des activités de ACL permet de prévoir des ventes de 170 millions de dollars pour l'année 1989. Six pour cent de ces

---

3. *Contrat de vente et d'achat de la société les Arsenaux canadiens Ltée*, 26 novembre 1985.
4. *Commerce*, mars 1988.
5. SNC, *Rapport annuel 1986*.

ventes sont redevables à la douillerie de Saint-Augustin. Le reste vient de l'usine de Le Gardeur. Les actifs totaux sont présentement évalués à 160 millions[6]. Entre 1980 et 1985, l'entreprise se situait en tête du secteur des munitions, avec des contrats militaires de 450 millions.

Le marché de la Défense nationale est en déclin, cependant, et en accord avec la stratégie du gouvernement fédéral de percer les marchés extérieurs, SNC a réussi à obtenir de petits contrats avec des pays membres de l'OTAN, dont le Danemark, et certains pays du tiers monde, notamment le Pakistan. Elle cherche à compenser une baisse anticipée du marché intérieur par une croissance accélérée des exportations. Elle vise à tripler ses exportations d'ici 1992. L'intérêt pour le marché des pays de l'OTAN vient de l'adoption par cet organisme de calibres et de normes de production qui ont forcé l'usine à s'adapter à de nouveaux procédés de vérification et de contrôle ayant influencé sa structure de production.

La vente de ACL s'est donc conclue en mai 1986 au prix de 92 millions de dollars. Dès l'annonce de l'intention d'Ottawa de privatiser la société d'État, plusieurs compagnies canadiennes et étrangères se sont montrées intéressées à l'acquérir. Huit d'entre elles ont déposé des offres d'achat, parmi lesquelles CAE, Jannock, IVACO et SNC. Certaines déclarations reproduites dans les journaux montréalais nous permettent de présumer que le choix de l'acheteur n'a pas été établi uniquement, voire même principalement, en fonction du prix offert. Comme c'est souvent le cas dans ce type de transaction, le cabinet s'était préalablement fixé une série d'objectifs qui mettaient l'emphase sur la compétitivité de la société et son rayonnement à l'extérieur du pays.

En achetant ACL, SNC pensait faire une excellente affaire. Le prix de vente correspondait en 1986 à 72 % de la valeur des actifs inscrite aux livres de la compagnie en décembre 1985. A ce prix, sur la base du rendement moyen de ACL depuis 1980 et, compte tenu du rythme de progression des ventes enregistré par l'entreprise au cours de la même période, SNC était en droit d'attendre un rendement brut sur son investissement de 18 % et un rendement net de 10 % pour la première année d'exploitation. Ses espoirs sont cependant tombés à l'eau suite à l'effondrement du marché. La division défense de l'entreprise a encaissé un déficit de 35 millions de dollars en 1988, ce qui l'a obligée à revoir complètement sa stratégie commerciale et son organisation de production.

---

6. Arsenaux canadiens, *Documents internes*, 1988.

Le groupe SNC — Les Industries Valcartier (IVI)

Créée au siècle dernier sous le nom de Dominion Arsenals, l'entreprise s'engage à partir de 1882 dans la fabrication de munitions pour armes légères et passe plus tard au moyen calibre. La Première Guerre mondiale lui fournit l'occasion de percer le marché international, mais le retour à la paix entraîne une chute radicale de sa production. La dépression des années 30 force cependant le gouvernement canadien à accroître ses dépenses, notamment dans l'industrie militaire, afin de créer des emplois. En 1933, une nouvelle usine est aménagée à Val Rose et une seconde douillerie au bassin Louise dans le port de Québec. Pendant la dernière guerre mondiale, Dominion Arsenals devient la figure de proue de l'industrie des munitions de petits calibres au Canada[7].

De 1945 à 1966, avant d'être privatisée, l'usine est administrée par les Arsenaux canadiens. En 1976, alors qu'elle appartient à la St. Lawrence Manufacturing, une fabrique de patins, elle acquiert les installations de munitions de chasse de la CIL qu'elle intègre à Val Bélair (Imperial et Canuck). En 1978, la "modernisation" des installations provoque la mise à pied de 350 travailleurs; deux ans plus tard, en septembre 1980, l'entreprise est vendue à SNC qui lui donne son nom actuel, IVI Inc. Elle venait tout juste d'obtenir de la Défense nationale une garantie de contrat de 51 millions de dollars.

En 1982, l'aménagement du vieux port de Québec entraîne la destruction de la douillerie du bassin Louise. La production est alors confiée aux Arsenaux canadiens. Selon les derniers chiffres disponibles, l'entreprise a réalisé en 1985 un chiffre d'affaires de 276 millions. Ses actifs atteignaient alors les 43 millions de dollars. Les deux tiers de cette production étaient destinés au secteur militaire (dont la moitié est écoulée sur les marchés étrangers), l'autre tiers servait à des fins civiles. Entre 1980-1981 et 1985-1986, IVI a touché des subventions d'équipement et de recherche pour un montant de 5,6 millions de dollars[8].

À la suite d'une grève survenue en 1988, SNC a décidé de se départir de la production civile en vendant ses marques de commerce à une entreprise de Colombie britannique. Cette décision a entraîné la perte de 210 emplois. Le

---

7. IVI, *General Information*, 1988, texte ronéotypé.
8. Industries Valcartier, *A la pointe de la technologie*, p. 3, texte ronéotypé, s.d.

secteur civil de l'usine était en perte de vitesse depuis de nombreuses années et la direction de l'entreprise avait renoncé à l'idée d'y injecter de nouvelles ressources.

La stratégie de croissance de IVI ne repose donc plus que sur une production militaire qui est moins diversifiée que celle des Arsenaux canadiens. Elle fabrique des balles ordinaires et traçantes, surtout de calibre 5,56 mm et de 20 mm. L'histoire du 5,56 mm permet de préfigurer l'avenir de IVI. Cette munition a été choisie par l'OTAN il y a 10 ans pour remplacer la 7,62 mm, et sa production fut introduite en 1982 chez IVI pour préserver l'autonomie d'approvisionnement du Canada[9]. Comprenant que cette nouvelle munition pourrait lui ouvrir un marché international, IVI a consacré plus de trois ans de recherches et d'efforts pour adapter son usine et la doter de techniques ultra-modernes, y compris des nouvelles presses plus rapides, et l'automatisation de la fabrication des douilles, de l'amorçage, du chargement, de l'encastrage et de l'inspection. Aujourd'hui, pour un volume de production supérieur, cette section de l'usine requiert 20 fois moins de travailleurs. La modernisation et l'ouverture aux marchés extérieurs ont donc été synonymes de perte d'emplois.

Seule entreprise du secteur dont la production est totalement intégrée avec une fonderie, une douillerie et de vastes entrepôts à l'épreuve des bombardements, elle jouit d'une autonomie de production quasi absolue. Il n'est cependant pas acquis que son intégrité soit conservée dans l'avenir. La division défense de SNC a essuyé des pertes en 1988. La nouvelle conjoncture du marché pourrait bien contraindre SNC à revoir son organisation industrielle. Si SNC décide de rationaliser sa production, il est légitime de croire qu'elle ne conservera qu'une douillerie, la plus moderne, celle de Saint-Augustin. Si le marché d'exportation de IVI ne connaît pas une reprise majeure, il est même à craindre que toute l'usine soit transférée et que ses lignes de production les plus rentables soit déménagées. D'autres changements majeurs dans la structure de production et l'emploi sont donc à prévoir.

Expro

L'entreprise Expro constitue un bon exemple d'improvisation, de manque de perspective et des tâtonnements qui ont marqué l'histoire de l'industrie militaire au Canada. Construite comme une vingtaine d'autres fabriques du

---

9. Arsenaux canadiens/IVI, *Vision, journal des employés*, juin 1987.

genre pour répondre à l'effort de guerre, l'usine de Valleyfield comptait 290 bâtiments et employait plus de 2 000 travailleurs lorsqu'elle fut fermée pour la première fois en 1945. En 1951, sous la direction des Arsenaux canadiens, la guerre de Corée lui redonna un nouveau souffle. On ajouta même un nouveau produit: le RDX, un explosif brisant d'usage militaire[10].

En 1965, Expro est privatisée et rachetée par CIL. En 1976, elle abandonna la production des poudres propulsives et, à la suite d'un incendie, celle du RDX. En novembre 1977, l'usine ne compte plus que 250 travailleurs. La décision prise en 1971 par le gouvernement canadien de limiter ses investissements militaires et ses engagements auprès de ses alliés de l'OTAN en fut la cause directe.

La fin de la guerre du Vietnam et la baisse de la demande pour la poudre amena finalement CIL à vendre l'usine à la Corporation des produits chimiques de Valleyfield, une filiale de Canadian Technicals de Montréal, elle-même rattachée au groupe Space Research de l'homme d'affaires Gérald Bull. Space Research ramena Expro dans le giron de la production militaire et mit au point un vaste projet de modernisation financé par une subvention gouvernementale de 12 millions de dollars. Les ventes augmentèrent substantiellement et le nombre de travailleurs tripla pour atteindre 650 employés[11]. Mais le groupe de Bull fut impliqué dans la vente d'armes à l'Afrique du Sud, transgressant ainsi un embargo décrété par les Nations Unies. Bull lui-même fut emprisonné aux États-Unis. La perte de marchés précipita la faillite de son groupe et la mise en vente d'Expro[12].

L'entreprise est finalement rachetée en mars 1982 pour 16,5 millions de dollars, dont seulement 4 millions comptant, par un consortium formé par Welland Chemical, Dafina Holding et CIL, les deux premières entreprises possédant 95 % des actions. A la suite d'une série d'accidents survenus entre 1981 et 1983 et la mort de quatre travailleurs, le gouvernement québécois décida de nommer une commission d'enquête. Dirigée par le juge René Beaudry, cette commission déposa des recommandations qui forceront Expro à amorcer la modernisation de ses équipements les plus dangereux.

Entre 1982 et 1986, les ventes d'Expro sont passées de 28 à 65 millions de dollars, et l'entreprise investit 39 millions dans ses installations. Selon le journal *Les Affaires*, son actif atteignait 34 millions en 1985[13].

---

10. Produits chimiques Expro, *Historique*, texte ronéotypé, s.d.
11. "La mise sous séquestre", dans *Commerce*, décembre 1981, pp. 68 et ss.
12. "Space Research affirme avoir livré des armes à Madrid", *Le Devoir*, 8 novembre 1978, p. 20.
13. "Liste des entreprises québécoises", *Les Affaires*, 1986.

Mais la situation d'Expro est différente de celle des Arsenaux canadiens et de IVI. Contrairement aux deux fabriques de munitions, Expro vend peu au gouvernement. Elle agit en fait comme fournisseur auprès des fabricants de munitions non seulement au Canada, mais aussi aux États-Unis et en Europe. Les dernières années ont été marquées par une croissance de ses exportations vers l'Europe et les États-Unis. Pour préserver son marché américain, Expro a mis la main en 1987 sur une usine d'encartouchage de Du Pont à Plattsburg (IMR Powder), ce qui lui permet de contourner les barrières protectionnistes[14].

Lorsqu'on vend des armes à l'étranger, même si ces ventes sont destinées à des pays alliés, il y a toujours un risque que les produits servent des intérêts politiques inconciliables avec ceux du Canada. C'est ce qui s'est produit à l'automne 1987, lorsque Expro a été indirectement impliquée dans la vente de poudre à l'Iran. L'entreprise vendait sa poudre au Portugal pour Muiden Khemi, un client des Pays-Bas, mais cette poudre était ensuite réexpédiée vers l'Iran, où elle a servi à alimenter une des guerres les plus meurtrières de l'histoire moderne. Le scandale a fait les manchettes des journaux européens et a provoqué l'interruption temporaire des envois d'armes. Expro a donc dû faire face à une réduction importante des commandes de ses clients européens. La baisse de production a entraîné 100 mises à pied et la formulation par la direction de la compagnie d'un "plan de crise". Encore une fois, les fluctuations sur les marchés militaires d'exportation ont été la cause de pertes d'emplois.

En plus de prévoir une baisse des effectifs, ce plan misait sur l'octroi de prêts et de marges de crédit consentis par les gouvernements fédéral et provincial totalisant près de 8 millions de dollars. Mais Expro traîne une lourde dette à court et à long terme dont le fardeau hypothèque la rentabilité de la compagnie. Les actionnaires d'Expro n'ont pas assez investi de capital dans l'entreprise.

En réalité, il semble que les fonds gouvernementaux ont servi à financer le lock-out décrété par la direction de la compagnie à l'été 1988 dans le but manifeste de casser les reins du syndicat de l'entreprise qui est l'un des plus combatifs du secteur de l'armement. Cent nouvelles mises à pied, un changement de direction et la réorganisation de la propriété de l'usine ont accompagné le retour au travail. Expro est maintenant confrontée à l'obligation de réorganiser complètement sa production. L'usine fait notamment face à l'obligation, d'ici janvier 1992, de réduire substantiellement

14. *Expro, ses produits et ses marchés*, 21 mars 1983, texte ronéotypé.

ses émissions polluantes. La stratégie d'Expro repose sur un plan de modernisation de 65 millions de dollars qu'elle espère obtenir du gouvernement sous forme de subventions.

Présentement, on estime que 80 % de la production d'Expro est destiné à un usage militaire: des explosifs (RDX), de la nitrocellulose et des poudres, notamment la SPDN destinée aux États-Unis et les séries M-1 et M-6 vendues aux Arsenaux canadiens. À l'industrie civile, l'usine fournit principalement de la poudre à cartouches et à balles de chasse dont l'un des principaux acheteurs canadiens est IVI; elle occupe une part importante de ce marché aux États-Unis. Sur le plan canadien, ses principaux clients sont évidemment les Arsenaux canadiens et IVI. L'entreprise est donc dépendante d'un marché peu diversifié: 76 % de la production est vendu à Muiden, Du Pont et Honeywell, trois entreprises étrangères dont la plus grande partie des activités est militaire[15].

Par ailleurs, comme les marchés d'exportation sont très concurrentiels et que la production a été affectée ces dernières années par la mise au point de nouvelles armes qui modifient le marché des munitions, Expro est donc doublement vulnérable.

*

* *

La vulnérabilité d'Expro n'est au fond que le reflet d'une évolution sectorielle qui a favorisé une dépendance croissante du secteur à l'endroit de la production militaire. Cette dépendance est devenue une menace sérieuse pour les emplois et pour la survie même du secteur. La militarisation est ici synonyme de dépérissement des usines, de retard technologique, de dégradation des conditions de travail, de pertes d'emplois et d'une foule d'autres problèmes qui requièrent un changement radical de la politique gouvernementale et des stratégies d'entreprises. La situation de crise qui prévaut dans cette industrie est un signal d'alarme qui permet de prendre la mesure des limites de la production militaire et constitue un avertissement sérieux pour l'ensemble des producteurs militaires du Québec.

---

15. *Idem.*

CHAPITRE 9
MOYENS D'ACTION ET ALTERNATIVES

L'Histoire démontrera sans doute que le Québec et l'ensemble du Canada ont fait fausse route en misant sur l'industrie militaire dans les décennies 70 et 80. Malgré l'hétérogénéité des situations qui prévalent dans les différents secteurs, on retrouve dans chacun d'eux des indications claires sur le caractère peu productif des dépenses militaires et sur les dangers d'une trop grande dépendance de l'industrie militaire. Les secteurs qui sont restés plus centrés sur la production civile semblent pour le moment être moins affectés. Les contrats de défense y provoquent néanmoins, chez plusieurs acteurs stratégiques, une tendance inquiétante de retrait des marchés civils. Dans les autres secteurs, la situation est plus dramatique. La production militaire y prend de plus en plus des allures de cauchemar qui pourraient bien ne prendre fin qu'avec la fermeture pure et simple de plusieurs entreprises. La menace est particulièrement présente dans le domaine des munitions; elle plane aussi sur le secteur naval.

Il nous apparaît donc urgent de remettre en question la pertinence et le bien-fondé d'une stratégie industrielle basée sur les investissements militaires. Nous croyons aussi qu'il est essentiel d'examiner les principales options et stratégies qui peuvent être utilisées pour contester les investissements militaires. À l'heure actuelle, trois moyens d'action nous semblent particulièrement appropriés: la remise en question du niveau des budgets militaires et la revalorisation des investissements civils, la création de zones libres d'armes nucléaires et la reconversion des entreprises d'armement. Bien que ces priorités d'action soient souvent menées de façon complémentaire et simultanée, elles peuvent aussi, dans une certaine mesure, être en contradiction les unes avec les autres, notamment en ce qui a trait à la pertinence d'engager le débat au niveau local plutôt qu'au niveau national.

L'IMPACT DES INVESTISSEMENTS MILITAIRES: L'URGENCE D'UNE REMISE EN QUESTION

Au départ, ce sont essentiellement des impératifs moraux et politiques qui ont provoqué une contestation du niveau des dépenses militaires. Depuis quelques années cependant, les considérations d'ordre économique sont devenues de plus en plus importantes. L'examen de la production militaire au Québec et de sa contribution au développement économique permet de poser les constats suivants:

— Cette industrie attire des entreprises qui éprouvent de la difficulté à soutenir la concurrence des marchés commerciaux.
— La gestion actuelle des budgets alimente les déséquilibres régionaux au détriment du Québec.
— La contribution technologique des projets militaires est de plus en plus réduite au plan civil.
— Plusieurs secteurs situés au centre de la structure industrielle québécoise sont fortement dépendants de la production militaire.
— La dynamique économique des secteurs les plus ouverts sur l'économie extérieure repose sur un partage international qui contraint les entreprises du Québec à la spécialisation et qui alimente la dépendance technologique et commerciale à l'endroit du complexe militaro-industriel américain.

La production militaire finit donc par devenir un instrument de dépendance, de déséquilibre régional et d'incompétence industrielle. Or, il est inquiétant de penser qu'elle sert de politique industrielle dans certains secteurs névralgiques de l'industrie manufacturière québécoise.

À un niveau plus global, la rentabilité des investissements militaires est de plus en plus mise en doute. Plusieurs experts, et même un nombre important de gens d'affaires aux États-Unis, contestent la valeur du rendement économique: les emplois créés sont moins nombreux que dans le civil, la productivité trop faible, les retombées sur les industries civiles de plus en plus marginales. La fabrication d'armes représente également une des sources majeures de gaspillage de ressources.

La prétention que l'industrie civile tire bénéfice des technologies militaires constitue dans une large mesure un mythe. En effet, les systèmes militaires évoluent depuis plusieurs années dans une direction qui tend à les isoler de plus en plus du marché civil au plan technologique et au plan des caractéristiques de conception. D'une part, la technologie militaire est devenue plus complexe, plus sophistiquée, plus spécialisée et plus coûteuse, rendant difficiles les applications civiles. D'autre part, le secret qui, pour des raisons de "sécurité nationale", entoure la production et la recherche militaires, impose des contraintes aux transferts technologiques vers le civil. Dans certains cas, on finira par trouver des applications civiles, mais souvent après de nombreuses années de recherche additionnelle en vue d'adapter les produits. Les coûts de conception deviennent alors astronomiques. De toute manière, il est largement reconnu que le moyen le plus efficace pour obtenir des retombées civiles est d'investir directement dans la technologie civile.

Les retombées de l'industrie militaire canadienne ont été mesurées à différentes reprises au cours des vingt dernières années. Plusieurs recherches confirment son impact économique négatif, comme en fait foi l'étude "input-output" réalisée par Gidéon Rosenbluth il y a vingt ans ou celle effectuée par John Treddenick, économiste au Royal Military College of Canada, pour le compte du ministère de la Défense. Les conclusions de ce dernier sont percutantes[1]. Le coût de la création d'emplois, soit de 20 000 à 29 000 par emploi selon le modèle utilisé, est plus élevé que pour l'ensemble du secteur manufacturier. L'effet multiplicateur d'un emploi créé dans la production militaire est de 1,4 en comparaison avec 1,6 dans les autres secteurs. John Treddenick constate aussi que les autres dépenses du gouvernement fédéral génèrent des retombées de 5 % supérieures à celles consacrées à la défense. Il conclut que la réduction des dépenses militaires aurait pour effet de stimuler l'économie.

Le "keynésisme militaire", c'est-à-dire l'utilisation des dépenses militaires comme outil de développement économique et technologique, semble donc peu prometteur, sauf peut-être comme moyen de propagande pour justifier de tels investissements. Selon John Treddenick, l'emploi des commandes militaires pour obtenir des retombées civiles ne se justifie ni au niveau de la politique militaire, dont le principal objectif devrait être la sécurité, ni au niveau de la politique économique. Etant donné les impacts incontestablement négatifs des dépenses militaires sur les autres priorités économiques et sur l'ensemble des besoins sociaux, il n'est pas étonnant que la contestation monte. Aux États-Unis, par exemple, les municipalités, qui ont beaucoup souffert depuis 1980 des augmentations spectaculaires des dépenses militaires sont en train de devenir les critiques les plus acerbes des priorités budgétaires nationales. Ainsi, à sa réunion annuelle de juin 1987, la US Conference of Mayors, préoccupée par des coupures de plus de 60 milliards de dollars US dans les fonds fédéraux liés à la santé, au logement et

---

1. John M. Treddenick, *The Impact of Defence Spending in Canada*, Kingston, Center for Studies in Defence Resources Management, Royal Military College of Canada, 1983.

à l'éducation, a décidé de commander une étude sur les répercussions socio-économiques d'une réduction des budgets militaires.

Produit par Employment Research Associates, une firme de consultants indépendante de Lansing au Michigan, le rapport, publié en octobre 1988, tente d'évaluer les conséquences socio-économiques du transfert de 30 milliards de dollars par année, sur une période de cinq ans, du budget de la défense (soit 150 milliards entre 1986 et 1990, ce qui représente 11 % du budget de la défense) aux différents programmes administrés par les villes, tels que la santé, l'éducation, les services sociaux, les programmes de main-d'oeuvre, le transport en commun, le logement et le développement communautaire[2].

Au niveau national, l'étude conclut à un effet économique net positif: une augmentation de 3,5 milliards de dollars par année du Produit national brut (PNB), la création de 197 500 emplois additionnels sur une période de cinq ans, un accroissement du revenu personnel disponible de 2,2 milliards par année, et une relance des investissements dans la construction résidentielle et non résidentielle de 550 millions par année.

L'injection de 30 milliards de dollars annuellement dans les programmes des municipalités permettrait par ailleurs l'engagement de 195 000 enseignants, l'ajout de 2,2 milliards de dollars dans les infrastructures de transport en commun, la construction de 900 000 logements à prix modiques, le traitement de 6 500 000 personnes dans les cliniques communautaires, l'immunisation complète de tous les enfants contre diverses maladies et l'ajout de 606 millions de dollars en équipement scolaire chaque année. Ceci représenterait, selon les auteurs, une contribution substantielle à la qualité de vie en milieu urbain aux États-Unis.

Le rapport évalue ensuite les impacts spécifiques des nouvelles priorités budgétaires sur quatre villes américaines, soit Austin au Texas, Trenton au New Jersey, Chicago en Illinois et Irvine en Californie. Ces villes sont représentatives dans la mesure où elles reflètent la diversité géographique, démographique, économique et industrielle des États-Unis. Seule Irvine, petite ville d'Orange County très dépendante de l'industrie militaire, subit un recul dans son activité économique suite au réaménagement des priorités fédérales, notamment une perte de 72 emplois. Chicago profite particulièrement de la nouvelle situation. Son produit régional brut augmente de 586 millions de dollars annuellement en moyenne,

---

2. Employment Research Associates, *A Shift in Military Spending to America's Cities: What it Means to Four Cities and the Nation*, rapport préparé pour la US Conference of Mayors, Lansing, Michigan, 1988.

et 20 020 emplois additionnels sont créés. Les fonds fédéraux permettraient à Chicago d'engager 2 270 nouveaux enseignants, de consacrer 31 millions de dollars de plus par année aux équipements scolaires, de vacciner 40 000 enfants de plus par mois, d'acheter 500 nouveaux autobus et 190 trains, d'offrir des logements à prix modiques à 63 000 personnes et de fournir des programmes d'aide à la jeunesse et à la famille à 112 500 individus de plus[3].

La remise en question des dépenses militaires a l'avantage de poser le problème au plan politique de façon globale. L'enjeu central devient la politique de défense. En soulignant les avantages socio-économiques, notamment la possibilité de répondre aux besoins sociaux par une production alternative "socialement utile", cette approche a le mérite de rendre très concret, tant au niveau national que provincial ou municipal, l'impact des dépenses militaires. Dans cette perspective, les autres problèmes, c'est-à-dire la reconversion, l'élimination ou la réduction des dangers liés aux armes nucléaires et le manque de fonds devant servir à subvenir aux besoins socio-économiques de la population, se régleront automatiquement lorsque le gouvernement aura modifié ses priorités. L'industrie de la défense, elle, devra s'adapter, avec ou sans l'aide des autorités gouvernementales.

Au niveau international, l'impact des dépenses militaires apparaît d'autant plus dramatique. Un rapport remarquable publié en 1981 par les Nations Unies souligne l'étroite relation qui existe entre le désarmement et le développement, ce rapport recommande que:

> Les gouvernements entreprennent d'urgence des études pour mettre en lumière et faire connaître les avantages qui pourraient être retirés de la réaffectation des ressources militaires d'une manière équilibrée et vérifiable en vue de résoudre les problèmes socio-économiques à l'échelon national et de contribuer à réduire les écarts de revenus qui séparent actuellement les pays industrialisés des pays en développement et d'instaurer un nouvel ordre économique international[4].

Une partie considérable des ressources mondiales, soit environ 1 000 milliards de dollars américains, sont engouffrées chaque année dans la course aux armements. Ces dépenses essentiellement improductives sont largement responsables du sous-développement et de la pauvreté de plusieurs nations et de la dégradation de l'environnement. Une étude récente, *World Watch Paper 1989*, publiée par une organisation américaine indépendante sans but lucratif,

---

3. *Ibid.*, p. 24.
4. Nations Unis, *Étude des rapports entre le désarmement et le développement*, New York, Nations Unies, 1982.

prétend que 10 % des sommes investies dans le matériel militaire suffirait pour sauver la planète. Selon l'auteur Michael Renner, "poursuivre la sécurité militaire aux dépens de la vitalité économique, de la justice sociale et de la stabilité écologique, revient à détruire une maison en l'entourant d'une barrière pour protéger les matériaux".

> À titre d'exemple, l'arrêt de l'érosion des sols, le reboisement des forêts, le renouvellement de l'efficacité de l'énergie, le développement de nouvelles sources d'énergie, bref toutes les priorités sociales ou environnementales, pourraient, durant la prochaine décennie, être réalisées avec 10 % des sommes investies dans les dépenses militaires[5].

LES ZONES LIBRES D'ARMES NUCLÉAIRES

Une zone libre d'armes nucléaires (ZLAN) est un espace géographique (municipalité, province, pays, ensemble régional) dans lequel on interdit la production, l'essai, l'entreposage, la conception, le transport et/ou le déploiement d'armes nucléaires. Au-delà de cette définition théorique, les ZLAN ont poursuivi dans la réalité des objectifs très divers.

C'est à partir des années 70 que le mouvement ZLAN a commencé à se propager à travers le monde. Au départ, les promoteurs des ZLAN cherchaient avant tout à sensibiliser la population aux dangers de l'escalade nucléaire et à forcer les gouvernements nationaux, jusque-là peu enclins à agir concrètement en faveur du désarmement, à modifier leurs politiques ou, à tout le moins, à sortir de leur mutisme sur la prolifération des armes nucléaires. Dans un premier temps, donc, la déclaration ZLAN possède un caractère essentiellement symbolique, dans le sens où elle exprime un refus de l'escalade nucléaire et une tentative de susciter un débat tant au niveau local que national. Avec le temps, les zones libres d'armes nucléaires se sont donné des objectifs plus concrets. Des pays comme la Nouvelle-Zélande et le Danemark, par exemple, ont interdit aux navires de guerre transportant des armes nucléaires d'utiliser leurs installations portuaires. Au Japon, en Allemagne de l'Ouest, en Espagne et en Italie, on s'est opposé à la présence ou l'expansion de bases militaires américaines, y compris l'installation de nouveaux systèmes d'armes.

---

5. Cité par Charles David, "Pour sauver la planète: 10 % des budgets militaires suffiraient", *La Presse*, 27 mai 1989.

C'est sans doute au niveau municipal que le mouvement ZLAN est appelé à afficher le plus de dynamisme dans les années à venir. Pour le moment, ce sont les villes américaines qui sont à l'avant-garde du mouvement. À la fin de 1988, il existait 151 ZLAN aux États-Unis, englobant 16 millions de citoyens dans 24 États. Soixante-neuf villes, notamment New York, Las Vegas et Louisville, ont adopté des résolutions, qui n'ont pas force de loi mais qui peuvent néanmoins prévoir certaines activités précises, comme l'installation de panneaux ZLAN à l'entrée de la ville ou la mise sur pied par le Conseil municipal d'activités pour la paix et le désarmement. En plus, 63 villes ont opté pour des ordonnances, notamment Chicago, Berkeley et Jersey City, et six autres pour des arrêtés municipaux ("by-laws"). Soulignons que lorsqu'une résolution ZLAN est adoptée sous forme d'ordonnance, d'amendement à la charte municipale ou d'arrêté municipal, elle a force de loi. Dans la mesure où cette réglementation interdit la production et la conception d'armes nucléaires, en plus de limiter les investissements et les achats d'une ville auprès des fabriquants d'armes nucléaires, son effet potentiel est important.

Sept villes américaines — San Francisco, Chicago, Jefferson, Amherst, Marin County, Eugene et Berkeley — ont mandaté des comités pour préparer des plans de reconversion pour les entreprises fabriquant des armes nucléaires. En effet, dans les villes où l'industrie des armes nucléaires est présente, une politique ZLAN a peu de chances d'être acceptable ou d'atteindre ses objectifs si elle ne prévoit pas des mécanismes visant à maintenir l'activité économique des entreprises concernées et les emplois des travailleurs.

Plusieurs villes, notamment Boulder, Washington D.C. et Eugene, ont mis sur pied des comités afin d'assurer la mise en application des résolutions et des ordonnances. Ces comités, souvent appelés "Peace Commissions", jouent la plupart du temps un rôle de sensibilisation-éducation-information auprès du public. Ils peuvent, par exemple, distribuer de la documentation sur les effets de la guerre nucléaire, organiser des expositions ou des manifestations publiques et offrir un soutien logistique et financier aux activités entreprises par des groupes pacifistes.

Certaines villes américaines ont adopté des politiques d'achat et d'investissement "socialement responsables", dans le but d'exercer des pressions sur les grandes entreprises qui produisent des armes nucléaires (General Electric, General Motors, IBM, etc.). Six villes — Amherst, Berkeley, Jersey City, Hayward, Takoma Park et Marin County — ont opté pour une politique visant à ne plus investir des fonds de la ville dans des entreprises de ce type. Ces mêmes villes, auxquelles s'ajoutent Hoboken et

Hood River, ont interdit l'octroi de contrats à des entreprises liées au nucléaire. Les politiques d'achat et d'investissement "socialement responsables" n'ont pas eu un impact important jusqu'à maintenant, en partie parce qu'elles n'ont été mises en application que très récemment. Tout indique cependant qu'elles peuvent être un moyen très efficace pour modifier le comportement des entreprises. Pour protester contre l'apartheid, 70 villes américaines, notamment New York, San Francisco, Los Angeles, Pittsburgh et Houston, ont décidé d'interdire les achats et les placements auprès d'entreprises faisant affaire avec l'Afrique du Sud. Cette politique a amené plusieurs entreprises, dont Motorola, Ashland Oil et Emhart Corporation, à couper leurs liens avec l'Afrique du Sud.

Malgré les hésitations, les erreurs de parcours et les difficultés d'application, la réglementation ZLAN est en pleine expansion aux États-Unis. Plusieurs organisations pour la paix en ont fait leur principal motif de ralliement. Elles ont la conviction que les pressions exercées sur les producteurs et le gouvernement national porteront éventuellement fruit.

Au Canada, environ 175 municipalités ont adopté des résolutions ZLAN depuis 1982, y compris la plupart des plus grandes villes. Près des deux tiers de la population canadienne vivent maintenant dans des ZLAN. A l'exception de Vancouver, qui a franchi quelques pas timides dans cette direction, les autres municipalités n'ont pas tenté d'adopter une réglementation très élaborée et les initiatives sont largement demeurées symboliques. Pourquoi? En partie, sans doute, parce que les pouvoirs des villes canadiennes sont plus limités que ceux des villes américaines. Il est possible aussi que les forces politiques en faveur du désarmement soient mieux représentées au niveau national au Canada, et que la population canadienne se soit sentie moins affectée par l'escalade des dépenses militaires. Il faut ajouter que les ZLAN ont l'inconvénient de ne proposer qu'une intervention limitée vis-à-vis l'armement, en visant au premier chef l'abolition des armes nucléaires. Or, en théorie, si l'on fait exception des essais du missile de croisière, il n'y a pas d'armes nucléaires (au sens restrictif du terme) au Canada. La question revêt donc un côté un peu abstrait.

LA RECONVERSION DES USINES D'ARMEMENT

La reconversion signifie une transformation de la production militaire à l'intérieur d'une entreprise en une production essentiellement civile. Le mouvement en faveur de la reconversion et de la diversification tant au niveau des entreprises qu'à l'échelle internationale s'accélère depuis une dizaine d'années. Il se développe en réaction au constat que les inquiétudes liées à l'emploi et au maintien des activités économiques représentent un des principaux obstacles au désarmement et à la réduction des dépenses militaires.

Principalement à cause de l'absence d'une volonté politique ferme en faveur du désarmement, les expériences de reconversion en Europe et en Amérique du Nord demeurent limitées. Néanmoins, plusieurs démarches intéressantes ont été entreprises. En voici quelques exemples.

Le cas de la Lucas Aerospace en Angleterre est un des mieux connus. Même si la tentative a échoué, la stratégie de reconversion proposée par les travailleurs conserve toute sa pertinence. Le complexe aérospatial Lucas comprenait en 1970 dix-sept usines employant 18 000 travailleurs. Les commandes militaires représentaient quelque 50 % de la production. Etant donné la crise dans l'aéronautique et les mises à pied massives entre 1970 et 1974 (plus de 4 000 entre 1970 et 1974), les syndicats de l'entreprise ont mis de l'avant une nouvelle stratégie visant à remplacer la production d'armement par des produits socialement utiles et plus créateurs d'emplois. Des regroupements très larges ont été mis sur pied dans chacune des dix-sept usines comprenant des ouvriers, des cadres, des techniciens et des contremaîtres. L'initiative était coordonnée par un comité conjoint des délégués d'atelier de Lucas. C'était là une innovation importante parce que le comité représentait non seulement tous les chantiers de la division, mais aussi tous les syndicats, y compris ceux des cols blancs. Le comité se voulait l'instrument de lutte privilégié contre les mises à pied prévues comme conséquence aux programmes de nationalisation. En 1976, à partir des idées soumises par les travailleurs et les techniciens, et des consultations auprès d'autres syndicats, groupes populaires et travailleurs du secteur public afin de connaître les besoins non satisfaits qui pourraient l'être grâce aux ressources et connaissances des travailleurs de Lucas, un plan alternatif est déposé. Ce document de 1 200 pages identifie plus de 150 produits que l'entreprise pourrait fabriquer dans six domaines: recherches océanographiques, machines de télécommande, système de transport, dispositif de freinage, sources d'énergie alternative et équipement médical.

Une autre préoccupation à laquelle le plan voulait s'arrêter concernait l'organisation du travail qui tendait à réduire le contenu et l'intérêt des tâches, ce qui résultait en une perte de compétence et de contrôle par le travailleur. Le plan préconisait donc la formation d'équipes intégrées, composées de concepteurs et de travailleurs des différents corps de métiers. Ces équipes favoriseraient le partage des connaissances et le contrôle démocratique des travailleurs sur leur travail.

Bien que la compagnie n'ait pas voulu appliquer le plan, elle a dû tenir compte de la combativité des ouvriers et dans certains cas limiter les mises à pied. En plus, le plan a démontré que les travailleurs et l'ensemble des groupes sociaux peuvent engager un processus de concertation dans la recherche de produits alternatifs. Certains produits figurant dans le plan ont été retenus et développés au sein de l'entreprise et même à l'extérieur.

L'échec de la tentative de reconversion à la Lucas s'explique en bonne partie par le manque d'appuis de la part des pouvoirs publics. Les conflits internes au mouvement syndical ont également joué un rôle négatif. Le comité central d'entreprise n'a pas réussi à s'insérer dans la structure industrielle ou professionnelle du Trade Union Congress. Enfin, le patronat de son côté a perçu l'initiative comme une menace pour les droits de gérance. Il y a tout lieu de croire que cette attitude fermée et intransigeante a fortement nui à la rentabilité de Lucas. Un article publié dans une revue d'affaires en 1980 suggère que si elle avait adopté certaines idées contenues dans le rapport syndical concernant la fabrication de nouveaux produits, l'entreprise aurait connu une évolution beaucoup plus favorable et que des considérations politiques, dans le cas Lucas, ont empêché une stratégie commerciale optimale[6].

C'est essentiellement par la diversification que la Suède a connu du succès dans la reconversion de la production militaire en production civile. C'est la coopération entre les syndicats, le patronat et les pouvoirs publics qui a rendu la reconversion possible. Etant donné le caractère hautement rentable des contrats militaires, les directions dans les entreprises de production d'armes se sont traditionnellement montrées réticentes à introduire des projets de diversification sur une grande échelle. Les syndicats suédois des métallurgistes ont été très actifs dans la proposition de programmes de diversification aux directions de différentes firmes (par exemple, Saalo-Scania, Bofors, Volvo-Flygmotor).

L'expérience suédoise démontre l'importance du rôle de l'État dans la promotion de la production civile et dans le développement de nouveaux produits. Le processus de reconversion et de diversification doit commencer bien avant la réduction des commandes militaires si l'on veut maintenir les niveaux d'emploi. Afin d'assurer une planification à long terme, les syndicats de la métallurgie ont commencé à mettre sur pied des comités de reconversion ("alternative use committees") dans les principales usines d'armement.

---

6. Cité par l'Institut syndical européen, *Le désarmement et la reconversion des industries d'armement en production civile*, Bruxelles, ISE, p. 97.

Aux États-Unis, la mise sur pied d'un bureau d'adaptation économique (Office of Economic Adjustment) au sein du ministère de la Défense en 1961 constitue une des expériences les plus intéressantes. L'OEA est responsable d'aider les communautés locales à mettre en place des plans de développement économique dans le but de créer des emplois pour les travailleurs mis à pied suite à la fermeture des bases militaires.

Après une trentaine d'années de fonctionnement, on évalue que l'OEA a permis de créer une fois et demi plus d'emplois que ceux perdus suite aux fermetures. On a réussi à attirer de nouvelles industries dans des régions affectées par les réductions des dépenses militaires. Des programmes de relance, basés sur une analyse des forces et des faiblesses d'une communauté, ont été mis en place dans plus de 70 communautés dans 34 États. Des milliers de travailleurs ont été recyclés; 95 000 acres de terrain militaire ont été réaffectés à des utilisations civiles, notamment des centres de loisir et d'entraînement, des aéroports civils, des logements à prix modiques et des centres médicaux; plusieurs travaux infrastructurels (transport, hôpitaux, logements, etc.) ont été réalisés pour attirer de nouvelles industries. Parmi les communautés qui ont le plus bénéficié des programmes de relance, notons Wichita au Kansas, où plus de 8 400 emplois ont été créés entre mars 1971 et avril 1972, Neosho au Missouri, où 2 400 nouveaux emplois ont remplacé en peu de temps les 1 200 emplois perdus suite à des coupures dans les commandes d'avions militaires, et Wilmington en Ohio, où la fermeture de la base militaire a été compensée par une série de projets industriels et commerciaux utilisant les locaux et les ressources de l'ancienne base.

Les caractéristiques des industries d'armement ne présentent pas de problèmes insurmontables pour la diversification et la reconversion des productions. En fait, la question de l'"adaptation" ou de la "reconversion" n'est pas essentiellement différente de ce qu'elle est quand il s'agit d'autres industries. La plupart des économies procèdent en permanence à des adaptations en raison des facteurs tels que les innovations technologiques ou des changements intervenant dans le commerce mondial ou dans la structure des coûts ou des prix. La démobilisation et la démilitarisation qui a suivi la Deuxième Guerre mondiale démontrent clairement que des changements structurels importants peuvent se produire dans le domaine militaire tout en favorisant la croissance économique.

Dans l'hypothèse probable d'une réduction des dépenses militaires, les gouvernements nationaux doivent prendre une part active au niveau de la planification pour la reconversion. Par l'entremise, par exemple, d'une commission nationale de reconversion, et avec l'aide de spécialistes dans différents secteurs, les gouvernements doivent notamment faciliter et financer la recherche sur de nouveaux produits, faire des analyses de marché, offrir des dégrèvements fiscaux ou des subventions pour moderniser et transformer les usines et pour modifier les équipements, élaborer des programmes de recyclage de la main-d'oeuvre, et fournir toute l'assistance technique nécessaire pour assurer le succès de projets de reconversion au niveau régional et local.

Un changement dans l'ordre des priorités gouvernementales en faveur des dépenses civiles est un prérequis essentiel pour le développement important des projets de reconversion-diversification. Même les meilleures idées de production alternative ne peuvent être viables sans un développement effectif des marchés, sans une demande nouvelle pour une production sociale dans des secteurs comme le transport en commun, les équipements médicaux, etc. A ce niveau, il ne faut pas sous-estimer la force de l'opposition qui se développe autour des différents complexes militaro-industriels.

Du point de vue des organisations de travailleurs, la reconversion apparaît comme une solution pour atteindre un double objectif: le plein-emploi et la paix. Il s'agit, en effet, de tenter de réconcilier les demandes de réduction des dépenses militaires à l'échelle nationale et d'essayer d'un autre côté, au niveau des entreprises, de défendre les emplois existants dans l'industrie de l'armement. Au niveau stratégique, la reconversion des usines militaires permet d'envisager les propositions sur le contrôle des armements selon leurs propres mérites, non pas en fonction des pertes d'emplois dans l'industrie militaire. Surtout dans une conjoncture économique difficile, le problème de l'emploi peut devenir un sérieux obstacle pour le désarmement et la paix. Il est donc essentiel de rassurer les travailleurs impliqués en les faisant participer directement à l'élaboration de plans, sinon d'expériences, de reconversion dans leurs usines, surtout si celles-ci connaissent déjà des problèmes à cause de baisses ou de réorientations de la production militaire. Plusieurs travailleurs sont inquiets parce qu'ils n'ont pas l'assurance d'obtenir des emplois dans la production civile. De façon générale, si la crainte du chômage et de la dislocation économique peut être atténuée, il semble certain que l'appui de la population à la réduction des armements progressera. L'absence d'expériences pratiques et de modèles concrets au Canada et au Québec est un des principaux obstacles auxquels se heurte la reconversion. Néanmoins, la conjoncture créée par les réductions de dépenses militaires tant au Canada qu'au niveau international rend urgente une réflexion de fond sur cette question.

LE MOUVEMENT CONTRE LA MILITARISATION AU QUÉBEC

Même si le mouvement d'opposition à la militarisation au Québec compte beaucoup de retard par rapport à ce qui existe dans d'autres régions et pays, plusieurs événements récents sont porteurs d'espoir. Parmi les plus significatifs, notons les démarches de la ville de Montréal pour concrétiser son statut de zone libre d'armes nucléaires (ZLAN), la tentative des syndicats dans le secteur des munitions d'amener leurs usines à se reconvertir et à se diversifier, et la volonté des citoyens du Lac-Saint-Jean de reconvertir la base militaire du mont Apica.

Le Conseil municipal de Montréal votait en 1986 une résolution faisant de la ville une zone libre d'armes nucléaires. Dans un premier temps, il s'agissait d'une déclaration de principe à caractère symbolique. Peu de temps après, un comité présidé par madame Diane Barbeau fut mis sur pied dans le but de proposer une réglementation concrète pour éliminer les armes nucléaires et leurs composantes sur le territoire montréalais. Les recommandations déposées en décembre 1987 étaient parmi les plus avant-gardistes en Amérique du Nord. En plus d'interdire le développement, la fabrication, l'essai, l'entreposage et le déploiement d'armes nucléaires et de leurs composantes, le rapport proposait une politique d'achat et d'investissement pour la ville visant à exclure les producteurs d'armes nucléaires, et mettait de l'avant une politique de reconversion des entreprises engagées dans le nucléaire.

Durant les années 1988 et 1989, une série complémentaire de rapports visait à préciser l'impact d'une éventuelle réglementation sur les entreprises implantées à Montréal, à mieux définir les armes nucléaires et leurs composantes et à examiner la réglementation en vigueur dans certaines villes américaines. Pendant l'année 1988, la ville installait sur plusieurs grandes artères métropolitaines des panneaux ou "pastilles" faisant état du statut ZLAN de Montréal. L'exécutif de la ville mettait également sur pied un comité consultatif sur toutes les questions liées à la paix. Enfin, l'administration municipale s'engagerait à établir dans la ville une place de la paix.

Même s'il apparaît certain que la ville n'adoptera pas une réglementation aussi étendue que celle prévue par le rapport Barbeau, la démarche entreprise par Montréal souligne bien l'intérêt grandissant des citoyens et des élus pour le désarmement.

La démarche adoptée par le secteur de l'armement (munitions et explosifs), en faveur de la reconversion et de la diversification de la production militaire constitue elle aussi une expérience tout à fait significative. La perte de centaines d'emplois a amené les syndicats des trois grandes usines du secteur, soit Expro, IVI et Les Arsenaux canadiens à poser un diagnostic sévère sur la situation de crise dans leur industrie. Ils en sont venus à la conclusion que la source principale de leurs problèmes découlait de leur trop forte dépendance à l'égard de la production militaire; ils ont aussi constaté l'important retard technologique de leur secteur et l'état de dépérissement général de leurs usines. Les organisations syndicales ont donc tenté de définir une démarche commune, dont l'objet est de diversifier leur production en direction de l'industrie civile. Dans un premier temps, les syndicats ont formulé une politique globale articulée sur le principe du maintien de l'emploi et, si possible, de la récupération des emplois perdus au cours des dernières années. Dans un deuxième temps, des contacts fructueux ont été pris auprès des employeurs et des gouvernements fédéral et provincial dans le but de les sensibiliser au problème avant qu'il ne soit trop tard. Même si ces démarches se heurtent à une certaine incrédulité, la détermination dont ont fait preuve certains exécutifs syndicaux et le travail de sensibilisation auprès des travailleurs ont permis de jeter les bases d'un mouvement qui risque fort de marquer profondément le complexe militaire industriel et le mouvement ouvrier québécois. Les espoirs reposent présentement sur un projet d'étude de la capacité de diversification des trois usines et sur l'éventuelle décision des directions de ces mêmes usines de s'engager dans la réalisation d'un plan de diversification. Advenant un déblocage, il y a fort à parier que cette démarche très originale, autant par son étendue que par ses modalités, incitera les organisations d'autres entreprises à s'interroger sur l'impact de leur implication dans l'armement.

L'annonce par le gouvernement fédéral en avril 1989, à l'occasion de la présentation de son budget, de son intention de fermer la base militaire du mont Apica, constitue enfin un autre bon exemple de la nouvelle volonté de faire face aux problèmes liés au militaire. La base du mont Apica est une des unités de détection radar de l'armée canadienne. Construite au cours des années 40 au moment de la mise en place de la ligne Pinetree, elle employait à l'annonce de sa fermeture 200 personnes, y compris 70 civils. La perte de ces emplois, prévue pour 1990, se fera lourdement sentir au sein des communautés locales situées près de la base. Contrairement à ce qu'on a pu observer ailleurs au pays, les résidents ont écarté d'emblée l'idée de lutter contre cette fermeture et ont préféré une stratégie de reconversion des bâtiments et des emplois. Cet objectif a suscité un vif intérêt au sein des milieux d'affaires de la ville d'Alma qui est, avec Hébertville, un des centres les plus directement touchés par la fermeture. Des comités composés de représentants du milieu, de la défense nationale et des salariés de la base, ont été créés et certains engagements ont été arrachés aux élus de la région.

L'intérêt pour la reconversion découle dans une large mesure des efforts de sensibilisation effectués par les organisations pacifistes de la région. Le Groupement d'action pour la paix (GRAPE) d'Alma, qui a démontré son efficacité au sein du mouvement de résistance au champ de tir de la base de Bagotville, a su associer au dossier des élus municipaux et des représentants patronaux. Il ne faut pas oublier qu'une Commission mise sur pied par le gouvernement québécois dans le but d'étudier l'impact du projet de champ de tir avait lié l'avenir de cette installation au maintien des activités militaires dans la région. Les deux dossiers étaient donc indissociables. Comme dans le cas du champ de tir, l'avenir du projet de reconversion de la base du mont Apica repose en bonne partie sur la volonté gouvernementale.

Même si les démarches que nous venons de décrire sont moins spectaculaires que celles qui ont été entreprises dans certains autres pays, elles démontrent néanmoins que les Québécois deviennent de plus en plus conscients des enjeux liés à l'armement et au désarmement. Souhaitons que ces événements ne constituent que l'amorce d'une remise en question plus fondamentale de la militarisation de notre économie.

*

* *

Comme nous l'avons souligné plus haut, certains secteurs sont déjà victimes de leur grande dépendance à l'endroit de la production militaire et nous donnent un avant-goût de ce qui attend probablement l'ensemble de cette industrie. Suite aux réductions dans le budget d'acquisition de munitions pour l'Armée canadienne et à la fin des grands conflits au plan international, le secteur des poudres, munitions et explosifs du Québec a perdu 685 emplois sur 2 000 au cours de la dernière année. Depuis le début de la présente décennie, le secteur naval québécois a investi massivement dans les systèmes de défense. Une des conséquences de cette décision a été de réduire de quatre à deux le nombre de grands chantiers et de plusieurs milliers le nombre d'employés. La décision d'abolir le programme des sous-marins nucléaires, sur lequel misait la société Marine Industrie pour garnir son carnet de commandes des années 90, risque fort de se traduire par la disparition pure et simple d'une industrie qui joue un rôle de premier plan au sein de l'économie de certaines régions du Québec. L'hémorragie d'emplois ne s'arrêtera pas là. Le resserrement des crédits affectés aux projets de l'armée de l'air américaine va très certainement affecter le secteur aérospatial montréalais, qui dépend largement des exportations vers les États-Unis.

S'il y a lieu de se réjouir face à l'éventualité d'une réduction des dépenses militaires, il faut également être conscient de la situation précaire dans laquelle se trouvent maintenant des milliers de salariés. Toute proportion gardée, le Québec, qui s'est littéralement rué sur les contrats de défense au cours des dernières années, risque d'être plus lourdement affecté que les autres régions canadiennes. Il faut donc réagir rapidement et donner aux entreprises qui se sont laissé entraîner dans le marécage militaire les outils dont elles ont maintenant besoin pour effectuer, avant qu'il ne soit trop tard, une reconversion de leur production au profit de l'industrie civile. Plusieurs programmes gouvernementaux, axés sur l'acquisition de technologies industrielles et le soutien à l'emploi, pourraient être élargis de façon à rendre possible la reconversion des industries militaires vers le secteur civil.

De même, il nous apparaît impératif de recanaliser les ressources affectées au soutien, à la recherche et au développement, où les programmes militaires disposent présentement d'une importance démesurée. Aucune solution durable ne pourra venir d'un simple ajustement des programmes de la défense. Il faut investir directement dans la recherche civile; c'est encore là que les chances de se donner accès à des marchés plus stables sont les meilleures.

Même avec la meilleure volonté du monde, il est peu probable que patrons et syndicats du secteur de l'armement puissent faire face seuls à un défi d'une telle envergure. L'implication de l'ensemble des institutions sociales par l'entremise de l'État apparaît essentielle. À l'heure du libre-échange, des privatisations et de l'État "catalyseur", les gouvernements fédéral et provincial pourraient être tentés de s'en laver les mains et de laisser tomber les travailleurs et les entrepreneurs concernés. Est-il nécessaire de leur rappeler qu'ils portent l'entière responsabilité de la situation actuelle, et que c'est à eux d'assurer que la transition vers la production civile s'effectue dans les meilleures conditions possibles.

GLOSSAIRE

DELEX	Destroyer Life Extension Project
DPSA	Defence Production Sharing Agreement
GRIMR	Groupe de recherche sur l'industrie militaire et la reconversion
IDS	Initiative de défense stratégique
IVI	Industries Valcartier Inc.
NASA	National Aeronautic and Space Administration
NORAD	North American Aerospace Defence Command
OTAN	Organisation du traité de l'Atlantique nord
ONU	Organisation des Nations Unies
PPIMD	Programme de production de l'industrie du matériel de défense
SALT	Traité sur la limitation des armements stratégiques
SIPRI	Institut international de recherches pour la paix de Stockholm
SLBM	Sous-marin lanceur de missiles nucléaires
SNN	Sous-marin à propulsion nucléaire
SOUP	Submarine Operational Update Program
SPAR	Special Projects and Applied Research
TRUMP	Tribal Update and Modernization Project
ZLAN	Zone libre d'armes nucléaires

Achevé d'imprimer
en octobre 1989
MARQUIS
Montmagny, Canada